REVISE AQA GCSE (9–1)
French
PRACTICE PAPERS Plus⁺

D1638559

Series Consultant: Harry Smith

Author: Stuart Glover

These Practice Papers are designed to complement your revision and to help prepare you for the exams. They do not include all the content and skills needed for the complete course and have been written to help you practise what you have learned. They may not be representative of a real exam paper. Remember that the official AQA specification and associated assessment guidance materials are the only authoritative source of information and should always be referred to for definitive guidance.

For further information, visit the AQA website.

Question difficulty
Look at this scale next to each exam-style question. It tells you how difficult the question is.

Audio
Audio files and transcripts for the listening exercises in this book can be accessed by using the QR codes throughout the book, or going to:
www.pearsonschools.co.uk/mflrevisionaudio.

Listen to the recording

Contents

About this book

The practice papers in this book are designed to help you prepare for your AQA French examinations. Remember to use the QR codes to give you access to the audio files for the Speaking and Listening papers.

In the margin of each paper you will find:

- links to relevant pages in the Pearson Revise AQA French (9–1) Revision Guide
- hints to get you started on tricky questions, or to help you avoid common pitfalls
- help or reminders about important grammar and vocabulary
- tips about Listening, Speaking, Reading and Writing skills

If you want to tackle a paper under exam conditions, you could cover up the hints in the margin.

There are also answers to all the questions at the back of the book, together with information about how marks are allocated. Many of these are sample model student answers, especially for the longer writing and speaking questions. This means that there are many answers which could be given, so you could answer the question differently and still gain full marks. The model answer could still give you new ideas to help you to improve an answer. For speaking exercises, an audio file is also provided, to give you practice with pronunciation.

About the papers

Look at the time guidance at the top of each paper if you wish to practise under exam conditions.

Remember that in the exam:

- You should use a black ink or ball-point pen.
- You must **not** use a dictionary.
- You should read every question carefully and answer all the questions in the space provided.
- In the Listening papers, there will be a pause to allow you to read the instructions and questions. You will then hear the recording twice.
- Try to re-read the questions and check your answers if you have time at the end.

Good luck!

Set A Listening Foundation practice paper
Time allowed: 35 minutes
(including 5 minutes' reading time before the test)

The maximum mark for this paper is 40.

Section A

Questions and answers in **English**

 Hobbies

1 Three people are telling you about their hobbies.

A	Go cycling
B	Watch TV
C	Go swimming
D	Read
E	Play chess
F	Go shopping
G	Go wind surfing

What does each person like to do?
Write the correct letter in each box.

(a) ☐   **(1 mark)**

(b) ☐   **(1 mark)**

(c) ☐   **(1 mark)**

Revision Guide
Page 20
Hobbies

Listening skills

When you listen, switch on straight away and remember to listen right up to the end of the passages as the answer could come anywhere.

Hint

Remember that some words sound similar in both languages but others do not!

Vocab hint

faire les magasins to go shopping

1

Revision Guide
Page 3
Describing family

Hint

Listen for words which mean the same as those in the English multiple-choice options. For example, *cadet* means 'younger' and could relate to a choice about age.

 Family relationships

2 Your exchange partner, Malaika, is talking about her family. Choose the correct answer and write the letter in the box.

(a) Malaika's brother …

A	gets on Malaika's nerves.
B	does nothing to help at home.
C	is older than Malaika.

(1 mark)

(b) Malaika gets on well with her mother because …

A	she is generous.
B	she allows Malaika a lot of freedom.
C	they like the same things.

(1 mark)

(c) Malaika says that her dad …

A	is very sporty.
B	is quite strict.
C	makes people laugh.

(1 mark)

Revision Guide
Page 78
Part-time jobs

Hint

Don't try to include too much detail in your answers here as an incorrect additional piece of information might lose you the mark you would have gained without it.

Listening skills

Make sure that you listen carefully for whether a statement is positive or negative. Don't just write down all the words you hear!

 Part-time jobs

3 Your exchange partner and her friends are talking about jobs. Listen to what they say.

For each person, write in the box a reason why they enjoy their job.

Answer in **English**.

Example:

Person	Reason
Anish	Everyone is in a good mood at the cinema.

(a) | Luc | | (1 mark)
(b) | Paul | | (1 mark)
(c) | Isabelle | | (1 mark)

Future plans Listen to the recording

4 Your exchange partner is telling you what his friends Alice, Dominique and Katy want to do later in life.

A	Work in IT
B	Get married
C	Have children
D	Become a singer
E	Do voluntary work
F	Go to university
G	Become rich

Which statement goes with each person?
Write the correct letter in the box.

Alice ☐ **(1 mark)**

Dominique ☐ **(1 mark)**

Katy ☐ **(1 mark)**

 The internet Listen to the recording

5 You are listening to your exchange partner's sister talking about the internet.

Write the answers to the questions in the box in **English**.

Example:

How often does your exchange partner's sister use the internet?	Every day

(a)	What does she do from time to time?	

(1 mark)

(b)	Why does she shop online?	

(1 mark)

(c)	What did she do yesterday online?	

(1 mark)

(d)	With whom is she going to speak next weekend?	

(1 mark)

 Revision Guide
Page 74
Future plans

Vocab hint

To say you want something you could say:

je veux I want

j'ai envie de I want / feel like

je voudrais I would like

j'aimerais I would like

Hint

Listen carefully so you are not misled by the negative forms.

 Revision Guide
Page 17
Technology

Listening skills

Make sure you answer in the same language as the question. If the questions are in English, you should answer in English. If the questions are in French, answer in French.

Revision Guide
Page 52
Helping others

 Helping others

Listen to the recording

6   During a Skype session with your exchange school, Marc tells you what he does to be helpful.

A	Listens to his friends' problems
B	Volunteers at an animal shelter
C	Gives money to the homeless
D	Does shopping for an old lady
E	Gives blood
F	Walks the neighbour's dog
G	Helps his brother with homework

What **three** things does he say that he does to help others?
Write the correct letters in the boxes.

☐   ☐   ☐   **(3 marks)**

 A French town

Listen to the recording

Revision Guide
Page 47
Describing a town

Hint

Listen for correct tenses in French – sentence (c) needs a past time frame and sentence (d) needs a future one.

7   Your French friend, Aline, is telling you about her town.

Choose the correct answer and write the letter in the box.

(a) Aline's house …

A	is quite small.
B	has no garden.
C	is in the town centre.

☐   **(1 mark)**

(b) In her town you cannot …

A	go to the cinema.
B	go ice skating.
C	visit a castle.

☐   **(1 mark)**

(c) Yesterday she …

A	went out for a meal in town.
B	went shopping in town.
C	went to church in town.

(1 mark)

(d) In the future she would like to live …

A	abroad.
B	in the mountains.
C	at the seaside.

(1 mark)

Hint

Listen out for where
Aline (not her sister!)
says that she would
like to live.

 A school exchange

Listen to the recording

8   You hear your friend, Lucas, talking about a school exchange he has
been on.

What did he think of his time there?

Write **P** for a positive opinion.

　　　N for a negative opinion.

　　　P + N for a positive **and** negative opinion.

(a) [　　] (1 mark)

(b) [　　] (1 mark)

(c) [　　] (1 mark)

(d) [　　] (1 mark)

(e) [　　] (1 mark)

Revision Guide
Page 73
Exchanges

Revision Guide
Page 5
Role models

Listening skills

When looking for reasons or justifications for opinions, listen for words like **parce que**, **car** or **puisque** to focus your attention.

Vocab hint

Je l'admire parce que … I admire him / her because …

Je le/la respecte car … I respect him / her because …

aimable friendly

sensible sensitive

équilibré balanced

sympa nice

fidèle loyal

sûr de soi confident

gentil(le) kind

 Role models

Listen to the recording

9 You hear this report about role models on French radio.

Listen to the report and answer the questions in **English**.

(a) Why does Gilbert respect his grandfather?

.... **(1 mark)**

(b) Where was his grandfather brought up?

.... **(1 mark)**

(c) What does Gilbert hope to do in the future?

.... **(1 mark)**

(d) What quality does Gilbert admire in his favourite footballer?

.... **(1 mark)**

Section B
Questions and answers in **French**

 La routine

10 Carole parle de sa routine.

Complétez la phrase avec les bons mots. Écrivez la bonne lettre dans la case.

(a) D'habitude, Carole doit se lever …

A	tard.
B	tôt.
C	avant son frère.

(1 mark)

(b) Elle n'a pas le temps de … le matin.

A	manger
B	lire
C	se brosser les dents

(1 mark)

(c) Elle va à l'école …

A	en voiture.
B	à vélo.
C	en car.

(1 mark)

(d) Carole fait du … une fois par semaine.

A	judo
B	théâtre
C	dessin

(1 mark)

(e) Le soir, elle n'aime pas …

A	lire.
B	sortir.
C	faire ses devoirs.

(1 mark)

 Revision Guide
Page 11
Everyday life

Hint

Listen for time phrases which can provide answers to when things happen.

Vocab hint

d'habitude usually
tous les jours every day
le soir in the evening
de temps en temps sometimes

Vocab hint

Make a list of more time phrases and learn them, as they might come in useful! See the Revision Guide link for more vocabulary.

Revision Guide
Page 4
Friends

Hint

In questions like this, synonyms will be very important. Try finding French words which might mean the same as the adjectives in the statements here.

Grammar hint

Little words like 'very' are **intensifiers** and can be useful to recognise and use. Listen here for très (very), vraiment (really) and si (so). See page 110 of the Revision Guide for more examples.

 Les copains

11 Olivier parle de ses copains.

Choisissez **trois** phrases qui sont **vraies** et écrivez les bonnes lettres dans les cases.

A	Marcus est actif.
B	Yann est paresseux.
C	Hélio fait trop de bruit en classe.
D	Jules est amusant.
E	André est très intelligent.
F	Victor est en bonne forme.
G	Victor est toujours malade.

☐   ☐   ☐   **(3 marks)**

Set A Speaking Foundation practice paper

Time allowed: 7–9 minutes
(+12 minutes' supervised preparation time)

Role-play: Hotels

Instructions to candidates

Your teacher will play the part of the receptionist at a hotel in France and will speak first. You should address the receptionist as *vous*.

When you see this – ! – you will have to respond to something you have not prepared.

When you see this – ? – you will have to ask a question.

Vous parlez avec le/la réceptionniste d'un hôtel en France.

- Chambre – nombre de personnes.
- !
- Manger – où (**un** détail).
- Petit déjeuner désiré (**un** détail).
- ? Parking.

Prepare your answer in this space, using the prompts above. Then play the audio file of the teacher's part and speak your answer in the pauses. You can find a full sample answer of another student's response in the answer section.

Set A Speaking
Foundation

Hint

The photo card will last about 2 minutes and the general conversation will last 3–5 minutes.

 Revision Guide
Page 29
Hotels

Hint

Remember that when you ask a question, it must relate to the prompt given. In this case, any question to do with parking at the hotel would be fine.

Hint

There is no need to use words like **s'il vous plaît** in the role-play as it is marked for communication and use of French – but it might be nice to be polite!

Speaking skills

Once you are in the test, make sure you actually answer the teacher's questions – don't just ignore them and read your notes exactly as you have written them!

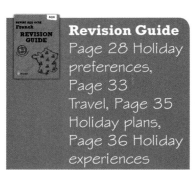

Revision Guide
Page 28 Holiday preferences,
Page 33
Travel, Page 35
Holiday plans,
Page 36 Holiday experiences

Speaking skills

Remember to use your preparation time well. Think of some key words that you could use, or even complete phrases. You can make notes on these to use in the test itself. You can even think about some possible vocabulary that might be useful for the unprepared questions.

Photo card: Holidays

- Look at the photo during the preparation period.
- Make any notes you wish to on an Additional Answer Sheet.
- Your teacher will then ask you questions about the photo and about topics related to **holidays**.

Your teacher will ask you the following three questions and then **two more questions** which you have not prepared.

- Qu'est-ce qu'il y a sur la photo?
- Que penses-tu des vacances au bord de la mer? Pourquoi?
- Parle-moi de tes vacances de l'année dernière.

> Prepare your answer in this space, using the prompts above. Then play the audio file of the teacher's part and speak your answer in the pauses. You can find a full sample answer of another student's response in the answer section.

General conversation

Listen to the recording

1 Parle-moi de ta famille.
2 Qu'est-ce que tu as fait le week-end dernier?
3 Quelle est ta fête préférée? Pourquoi?
4 Qu'est-ce que tu aimerais avoir comme emploi à l'avenir?
5 Qu'est-ce que tes parents font comme travail?
6 Quelles sont tes qualités personnelles?

Prepare your answer in this space, using the prompts above. Then play the audio file of the teacher's part and speak your answer in the pauses. You can find a full sample answer of another student's response in the answer section.

Set A Speaking

Foundation

Revision Guide
Page 3 Describing family, Page 20 Hobbies, Page 74 Future plans, Page 77 Jobs

Speaking skills

In the exam you can specify the first theme in the conversation. Make sure you have considered the questions you might be asked within that theme.

Hint

Don't forget that during the exam at some point in the general conversation you need to ask your teacher a question.

Speaking skills

Develop your answers as much as you can by using adjectives, adverbs and connectives.

Speaking skills

When you listen to and read the student's sample answer, identify where they have used the following:

• Interesting adjectives
• Connectives
• Pronouns
• Different people (not just using je)
• Opinions and reasons.

Set A Reading Foundation practice paper
Time allowed: 45 minutes

The maximum mark for this paper is 60.
Section A
Questions and answers in **English**

 Holiday preferences

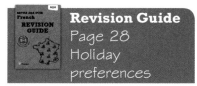
Revision Guide
Page 28
Holiday
preferences

Grammar hint

Remember that some expressions are followed by an infinitive, such as **il est important de**.

Reading skills

Don't focus too much on individual words in the questions. For example, 'beach' does not appear in the text so look for words which might convey the same meaning, or activities which are associated with the beach.

1   Read these opinions about holidays from a website.

A	**Janine:** Je vais toujours au bord de la mer, car nager c'est ma passion. J'aime aussi me faire bronzer et faire les magasins!
B	**Thomas:** Je n'aime pas les vacances actives. Pour moi, il est important de se détendre. J'aime lire ou ne rien faire.
C	**Mathieu:** Le camping me plaît bien parce que j'adore le plein air quand il fait beau ou même quand il pleut.
D	**Karine:** Je pense que rester à la maison, c'est ennuyeux. Je préfère les vacances actives!

Who would want to take part in the following?
Write the letter of the correct person in each box.

(a) A camping holiday   ☐ **(1 mark)**

(b) A beach holiday   ☐ **(1 mark)**

(c) An activity holiday   ☐ **(1 mark)**

(d) Doing nothing on holiday ☐ **(1 mark)**

Travelling abroad

Revision Guide
Page 33 Travel

2 Your parents are browsing the internet for short breaks in France. They show you a blog they have found about popular holiday destinations in France.

A	**Brest:** Ville assez tranquille où on peut faire une gamme de sports nautiques. Idéal pour les familles.
B	**Cognac:** Si vous vous intéressez à l'histoire, Cognac offre plein de sites historiques et de monuments qui datent du Moyen Âge.
C	**Lyon:** Grande ville où on peut essayer beaucoup de plats régionaux délicieux.
D	**Chamonix:** Ville idéale pour les amateurs de vacances de neige et aussi pour ceux qui aiment la vie nocturne.

Where would you choose to go if you wanted to do the following things?

Write the letter of the correct destination in each box.

(a) Go skiing ☐ **(1 mark)**

(b) Visit ancient places ☐ **(1 mark)**

(c) Do water sports ☐ **(1 mark)**

(d) Eat well ☐ **(1 mark)**

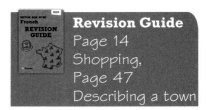

Revision Guide
Page 14
Shopping,
Page 47
Describing a town

Reading skills

Read the options
first and look out for
associated vocabulary.
For example, the words
kilomètres, Rouen,
and tout près indicate
location.

A new shopping centre

3 You read the advertisement below in a French newspaper.

> **Centre commercial Étoile**
>
> Nous sommes à deux kilomètres de Rouen, tout près du stade.
>
> Il y a plus de cent boutiques, un ciné (douze écrans), un grand choix de restaurants et un hôtel 4 étoiles.
>
> Le centre est ouvert tous les jours de 8h à 22h sauf le dimanche quand on ferme à 17h.
>
> Club d'enfants vendredi et samedi, parking gratuit et salle de sport.

Which of the following aspects of the shopping centre are mentioned? Write the **four** correct letters in the boxes.

A	The location.
B	The public transport links.
C	The number of shops.
D	The opening hours.
E	The special offers.
F	The crèche.

☐ ☐ ☐ ☐ **(4 marks)**

 French food and drink

4   Read this survey about French food and drink.

Answer the questions in **English**.

> Selon un sondage récent, les Français sont très traditionnels. Plus de 80% prennent trois repas par jour. La moitié de jeunes mange le dîner devant la télé et une personne sur dix ne mange pas de petit déjeuner. Pourtant, tout le monde pense que les repas pris en famille sont les plus agréables.
>
> 75% des Français déclarent prendre un casse-croûte entre les repas et les casse-croûtes préférés sont les chips et les biscuits.

(a) What do more than 80% of French people do?

.... **(1 mark)**

(b) How many young French people eat in front of the TV?

.... **(1 mark)**

(c) What do 1 in 10 French people not do?

.... **(1 mark)**

(d) What kind of meals are considered to be the most pleasant occasions?

.... **(1 mark)**

(e) Apart from biscuits, which is the other favourite snack according to the survey?

.... **(1 mark)**

Hint

There are several numbers in this passage. Make sure that you identify the correct one to answer each question.

Reading skills

Take care with false friends, which look like English words but do not have the same meaning (for example, chips).

Hint

You do not need to answer in full sentences in this type of question in order to score full marks.

Revision Guide
Page 4
Friends

Hint

In longer passages, look for clues in the text which can help you to work out the meaning of unfamiliar words. For example, do they look like English words (cognates or near-cognates)?

Reading skills

Don't be put off by a range of tenses. As long as you can distinguish between them, you should be able to answer all the questions.

 Le Petit Nicolas

5 Read this extract from *Le Petit Nicolas* by René Goscinny.

Nicolas is talking about a recent afternoon activity.

> J'ai invité des copains à venir à la maison cet après-midi pour jouer aux cow-boys. Ils sont arrivés avec toutes leurs affaires. Rufus était habillé en agent de police avec un revolver et un bâton blanc. Eudes portait le vieux chapeau boy-scout de son grand frère et Alceste était en Indien, mais il ressemblait à un gros poulet. Geoffroy, qui aime bien se déguiser et qui a un Papa très riche, était habillé complètement en cow-boy avec une chemise à carreaux, un grand chapeau et des revolvers à capsules. Moi, j'avais un masque noir. On était chouettes.

Choose the correct answer to complete each sentence and write the letter in the box.

(a) Nicolas and his friends were going to play …

A	cowboys.
B	football.
C	tennis.

(1 mark)

(b) Rufus came as …

A	a cowboy.
B	an American Indian.
C	a policeman.

(1 mark)

(c) Eudes had borrowed something from …

A	his little brother.
B	his dad.
C	his big brother.

(1 mark)

(d) Alceste looked like …

A	a cowboy.
B	a chicken.
C	an old Boy Scout.

☐ **(1 mark)**

(e) Geoffroy likes …

A	dressing up.
B	wearing masks.
C	his older brother.

☐ **(1 mark)**

(f) Geoffroy and Eudes both …

A	have rich fathers.
B	brought revolvers.
C	wore hats.

☐ **(1 mark)**

Revision Guide
Page 27
Festivals

Hint

Use common sense to try to guess words which you do not know. For example, if you didn't know the word **pluvieux**, reading around the word, you'll find it is related to **Angleterre** and **le temps**.

Grammar hint

To form the future tense:

infinitive + future tense endings (**-re** verbs drop the final **e**).

The future endings are the same as the present tense of **avoir** except for the **nous** and **vous** forms, which drop the 'av-':
je mangerai
tu mangeras
il / elle / on mangera
nous mangerons
vous mangerez
ils / elles mangeront

See page 103 of the Revision Guide for more on the future tense.

 An international event

6   You read this article about a French music event while staying with your penfriend.
Answer the questions in **English**.

> Au mois de mai, le festival international de la danse a lieu à Menton. L'année dernière, le festival était à Brighton en Angleterre mais le temps était pluvieux, donc les danseurs ont porté plainte auprès des organisateurs. On espère qu'il fera plus beau dans le sud de la France. Il y aura plus de quatre-vingts groupes cette année.
>
> Pour les spectateurs, il y a plein de bons hôtels dans la région, mais il y a également deux campings tout près de la ville pour ceux qui cherchent un logement moins cher. Il y aura un grand feu d'artifice le dernier soir du festival et tout le monde s'amusera bien.

(a)   What was the problem in Brighton?

.... **(1 mark)**

(b)   What is hoped for in the new venue?

.... **(1 mark)**

(c)   How many dance groups will take part this year?

.... **(1 mark)**

(d)   Why might spectators prefer camping?

.... **(1 mark)**

(e)   Why will people enjoy the last evening of the festival?

.... **(1 mark)**

Volunteering

7 You read Philippe's blog about helping others.

Answer the questions in **English**.

> Il y a un an, j'ai décidé de faire du travail bénévole pour une association caritative qui aide les pauvres en France. Tous les vendredis, je travaille dans un bureau où je classe des documents et réponds au téléphone. Je vais au collège mais je n'ai pas cours le vendredi, alors c'est idéal pour moi, mais à l'avenir je voudrais bien trouver un emploi comme médecin, ce qui me permettrait de faire des recherches afin de réduire les maladies graves dans les pays les plus pauvres. J'aimerais aussi visiter les pays où la vie est dure car je pourrais mieux comprendre les problèmes des habitants.

(a) When did Philippe first start volunteering?

.... **(1 mark)**

(b) What does he do in the office?

....

.... **(2 marks)**

(c) Why can he work on Fridays?

.... **(1 mark)**

(d) Why does he want to become a doctor?

....

.... **(1 mark)**

(e) What reason does he give for visiting certain foreign countries?

....

.... **(1 mark)**

Revision Guide
Page 51
Volunteering

Vocab hint

Il y a has two meanings:
- there is / are ...
- ago (with a period of time, for example il y a trois jours = three days ago)

Hint

Remember to give exact answers.

Reading skills

Remember that the questions follow the order of the text. You can therefore work out where in the text to find a specific answer, particularly if you know the answers to the two questions on either side of the one you are looking to answer.

Revision Guide
Page 26
Celebrations

Reading skills

Work out the meaning of the sentences before you try to fill in the gaps. Use your grammatical knowledge to eliminate possible answers. For example, frère cannot follow ma.

Section B
Questions and answers in **French**

   Une soirée agréable

8   Lisez cet e-mail de Robin au sujet d'une soirée au restaurant. Complétez le texte avec les mots de la liste ci-dessous.

Écrivez la bonne lettre dans chaque case.

✉

Hier soir j'ai pris un repas ☐ dans un petit restaurant qui se trouve tout près de chez ☐. J'y suis allé avec toute ma ☐ afin de fêter l'anniversaire de ma ☐ aînée. Malheureusement, le service était vraiment ☐ mais la vue sur la rivière était impressionnante. Tout le monde a choisi du ☐, la spécialité du restaurant, et j'ai surtout ☐ les légumes.

A	délicieux
B	frère
C	poisson
D	vite
E	lent
F	sœur
G	famille
H	moi
I	aimé
J	adore
K	je

(7 marks)

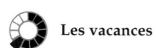 **Les vacances**

9 Lisez cet article d'un magazine scolaire sur les vacances.

Revision Guide
Page 32
Holiday
destinations

> Selon moi, il faut aller en vacances chaque année car on peut se détendre et se reposer un peu après avoir travaillé dur pendant l'année scolaire. Puisque j'adore la chaleur, j'aime aller en Espagne ou en Grèce, mais mes parents préfèrent des vacances culturelles en Angleterre ou des vacances à la neige en Italie. L'idée de partir en vacances entre amis m'intéresse parce qu'on aurait plus de liberté. Je m'entends bien avec toute ma famille, mais on ne partage pas les mêmes centres d'intérêt. Je crois que j'irai au pays de Galles avec ma meilleure copine et sa famille cet été. Nous partirons le 16 août et nous allons y faire du camping à la montagne parce que nous aimons tous le plein air.
>
> Chrystelle, 15 ans

Reading skills

Do not assume that just because the words in the possible answers are also in the text that the answer must be correct. For example, for question (b), travailler dur can be found in the text, but make sure you read both the question and answer carefully before replying.

Pour chacune des phrases ci-dessous, notez **V** (vrai), **F** (faux) ou **PM** (pas mentionné).

(a) Selon Chrystelle, il faut aller en vacances tous les ans.

（1 mark）

(b) Selon Chrystelle, en vacances on a la possibilité de travailler dur.

（1 mark）

Grammar hint

Remember that to say 'after doing something' in French we use après avoir + the past participle, so here, après avoir travaillé dur would be 'after working hard'.

(c) Elle aime aller en Espagne car il y fait chaud.

（1 mark）

(d) Elle a les mêmes goûts que sa famille.

（1 mark）

(e) Elle n'est jamais allée au pays de Galles.

（1 mark）

(f) Elle a seize ans.

（1 mark）

Revision Guide
Page 24 Films

Hint

Look at the advert for each town first and see if there are any obvious answers to fill in; then read the text again to check.

Hint

You need to focus on which information you need to answer the questions as there is a lot of extra material here.

Individual words and phrases can be important: for example, **sous-titres** is vital here. Can you work out its meaning?

Reading skills

At this level, you will not necessarily find exactly the same wording in the text and the statements so you may have to look out for something similar. For example, the word **comique** does not appear in the text, but look for related words.

 Aller au ciné

10 Lisez ces petites annonces de cinémas sur un site Internet.

Rennes:	On passe *Inferno*, film américain en version originale, sans sous-titres. Réductions pour étudiants.
Dinard:	Au ciné Studio 2, film français, *Alibi*, séances à 17h et à 20h. Ce film va faire rire tout le monde.
Nantes:	Dessins animés pour les petits et les plus grands! Venez voir plus de vingt films à un prix très raisonnable.
Lorient:	Écran 4 – Nouveau film d'épouvante de Rémy Gallois. Pas pour ceux qui ont facilement peur. Écran 5 – Film d'espionnage canadien, *Le rendez-vous*. À ne pas manquer!

Choisissez dans la liste **quatre** phrases qui sont **vraies**. Écrivez les bonnes lettres dans les cases.

A	On peut voir un film comique à Dinard.
B	Il y a un film en espagnol à Rennes.
C	On peut voir un film le matin à Dinard.
D	On passe deux films à Lorient.
E	Il y a un film d'horreur à Lorient.
F	On peut voir beaucoup de films à Nantes.
G	On peut lire les sous-titres à Rennes.
H	On a manqué tous les films à Lorient.
I	Les films coûtent trop cher à Nantes.

☐ ☐ ☐ ☐   **(4 marks)**

Section C
Translation into **English**

11 Your exchange partner has sent you the following email. Your parents ask you to translate it into **English** for them.

> J'habite près de mon collège. Ma matière préférée, c'est le dessin car je suis créatif. Je n'aime pas les maths parce que je ne m'entends pas avec mon prof. Hier, j'ai joué au foot pour mon équipe scolaire. Après, j'ai fait mes devoirs d'informatique.

....

....

....

....

....

....

....

....

(9 marks)

Revision Guide
Page 64
School life

Reading skills

When you translate into English, read what you have written back to yourself and make sure that it makes sense in English.

Grammar hint

Take care with tenses – look at **j'ai joué** and **j'ai fait** and remember that they both go with **hier**.

Think about how to translate adjectives like **préférée**. Where will they come in the English translation?

Watch out for negatives such as **ne … pas**.

Revision Guide
Page 73
Exchanges

Writing skills

Make sure that you keep your answers simple. Each answer must contain a verb but **voici** and **voilà** count as verbs here.

Writing skills

The present tense of common verbs will be used a lot so learn the basics such as **il y a** (there is / there are) and **je vois** (I can see).

Set A Writing Foundation practice paper

Time allowed: 1 hour

The maximum mark for this paper is 50.
Answer all questions in **French**

Une visite scolaire

1   Vous envoyez une photo à votre ami(e) français(e).

Qu'est-ce qu'il y a sur la photo? Écrivez **quatre** phrases en **français**.

1   .... **(2 marks)**

2   .... **(2 marks)**

3   .... **(2 marks)**

4   .... **(2 marks)**

Un festival des sports

2 Vous allez participer à un festival des sports en France et vous écrivez à votre ami(e) français(e).

Mentionnez:

- quand vous voulez arriver au festival
- où vous allez loger
- les sports que vous aimez
- pourquoi vous voulez aller en France.

Écrivez environ **40** mots en **français**.

....

....

....

....

....

....

....

....

....

....

....

....

....

....

(16 marks)

Revision Guide
Page 27
Festivals

Writing skills

You only have time and space for one sentence on each bullet point so do not write too much. Write full sentences but you don't need to give much detail.

Writing skills

Make sure that you cover all four bullet points. There is no need to make it look like a letter.

Hint

Don't assume that each word in English has a direct equivalent in French. In sentence (b), 'goes' is not **va**.

Hint

In sentence (a) there will need to be a word before 'football' in French.

Think about which verb you will need to translate 'goes' in sentence (b).

In sentence (c), remember that you need the 'they' part of the verb when talking about 'my parents'.

In sentence (d), 'listening' will be translated as 'to listen' in French.

Think about the tense you will have to use in sentence (e).

Les passe-temps

3   Translate the following sentences into **French**.

(a) I like football.

....

....

(b) My brother goes cycling.

....

....

(c) My parents often watch TV.

....

....

(d) I don't like listening to music.

....

....

(e) Last weekend I went to the cinema with my sister.

....

....

(10 marks)

Answer **either** Question 4.1 **or** Question 4.2.
You must **not** answer **both** of these questions.

EITHER Question 4.1

Q 4.1

Ma région

Vous décrivez votre région pour votre blog.
Décrivez:

- votre opinion sur votre région et pourquoi
- ce que vous avez fait récemment dans votre région
- ce qu'il y a pour les touristes dans votre région
- où vous voudrez habiter à l'avenir.

Écrivez environ **90** mots en **français**. Répondez à chaque aspect de la question.

....
....
....
....
....
....
....
....
....
....
....
....
....
....
....
....
....
....
....

(16 marks)

Revision Guide
Page 49
Places to visit.
Page 50
Describing a region

Writing skills

Make sure that you add a reason if you are asked to do so.

What you write does not have to be true, but try to make it believable.

Try to keep to the word limit although everything you write will be marked, even if you exceed the limit.

Remember that the more you write, the greater the chance of making mistakes!

Vocab hint

j'habite I live
j'ai fait I did
je suis allé(e) I went
avec mes copains with my friends
je voudrais I'd like

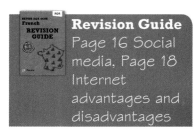

Revision Guide
Page 16 Social media, Page 18 Internet advantages and disadvantages

Vocab hint

tous les jours every day
j'utilise I use
j'envoie I send
je télécharge I download
on peut you can
je vais créer I'm going to create

Writing skills

Try to write complex sentences using connectives, adverbs and time phrases, if you can. This will help you to aim higher. Remember to keep to the number of words you are told to write.

Writing skills

Look at the tenses used in the bullet points and reflect them in your writing. For example, the first bullet point is in the present tense, the second bullet point is in the perfect tense, and the final bullet point suggests a future tense. You can also use other tenses such as the conditional.

OR Question 4.2

Q 4.2

Internet

Vous décrivez votre opinion sur Internet pour votre blog.

Décrivez:
- quand vous utilisez Internet
- comment vous avez utilisé Internet récemment
- les inconvénients d'Internet
- vos projets pour l'avenir sur Internet.

Écrivez environ **90** mots en **français**. Répondez à chaque aspect de la question.

....
....
....
....
....
....
....
....
....
....
....
....
....
....
....
....
....
....
....
....

(16 marks)

Set A Listening Higher practice paper
Time allowed: 45 minutes
(including 5 minutes' reading time before the test)

The maximum mark for this paper is 50.
Section A
Questions and answers in **English**

  Radio reports

Listen to the recording

1 While on holiday in France, you hear these reports on the radio.

A	A strike
B	Strong winds
C	Flooding
D	A road accident
E	Heavy snow
F	Fog

For each report, choose the topic from the list and write the correct letter in the box.

(a) ☐ **(1 mark)**

(b) ☐ **(1 mark)**

(c) ☐ **(1 mark)**

(d) ☐ **(1 mark)**

Revision Guide
Page 45
Weather,
Page 59
Protecting the
environment

Listening skills

When listening to fairly short items at Higher tier, you will have to focus carefully on what is said as there is sometimes just one key clue to the answer.

Hint

Before you start listening, jot down the French for topics A–F if you can.

Listening skills

Remember that you are not allowed a dictionary in any of the exams, but it can be useful to use one during revision to check your knowledge.

Hint

If you are not sure of a word, for example the French for 'a strike', listen out for associated words such as 'workers', 'protest' or 'employees' in French.

Revision Guide
Page 37
Transport

Listening skills

At Higher tier, there are no obvious incorrect answers – you have to read and listen carefully to work out which answer is correct.

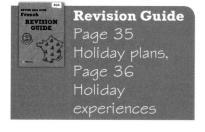

Revision Guide
Page 35
Holiday plans,
Page 36
Holiday experiences

 Announcements at the railway station

Listen to the recording

2   While on holiday in France, you hear these announcements at a French railway station.
Choose the correct answer and write the letter in the box.

(a) The next train will …

A	arrive on time.
B	be delayed by ten minutes.
C	not stop at this station.

(1 mark)

(b) On platform 9 there is a …

A	newspaper kiosk.
B	place to store luggage.
C	fast train.

(1 mark)

(c) There is a discount …

A	for groups.
B	if you buy tickets online.
C	for students.

(1 mark)

 Holidays

Listen to the recording

3   You hear a podcast sent by your French partner school about holiday experiences.
Answer all parts of the question.

Part 1

(a) Milo particularly enjoyed …

A	the hotel.
B	the beach.
C	the food.

(1 mark)

(b) Next summer he plans to …

A	go back to the same resort.
B	go back to his normal holiday venue.
C	try somewhere new.

(1 mark)

Part 2

(a) Janine …

A	has just returned from holiday.
B	will soon go on holiday.
C	rarely goes on holiday.

(1 mark)

(b) She says holidays …

A	are important for relaxing.
B	are a waste of money.
C	help to broaden your experience.

(1 mark)

Part 3

(a) On holiday Paul hated …

A	the flight.
B	the weather.
C	the accommodation.

(1 mark)

(b) He prefers to travel …

A	by train.
B	by car.
C	by plane.

(1 mark)

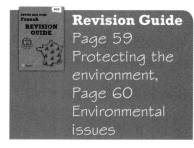

Revision Guide
Page 59
Protecting the
environment,
Page 60
Environmental
issues

Hint

When you are asked
to fill a gap, try to be
as precise as you can.
For example, in Part 1(a)
there is quite a lot of
information to give.

Hint

Sometimes you need
to work out which verb
is being used when you
hear a fairly unfamiliar
form. Here, **réduise** is
the subjunctive form of
the verb **réduire**.

Revision Guide
Page 12 Meals
at home

Hint

Some of the words
used in this recording
might be relevant
to other questions
containing statistics,
so make sure that you
take note of them and
remember them. Here,
for example, you might
focus on **la moitié** and
un tiers.

 The environment

4 As part of a project on the environment you are listening to a report discussing urban problems.
Complete the sentences in **English**.

Part 1

(a) The speaker wants to ....
.... **(2 marks)**

(b) However, she does not want to set up ....
.... **(1 mark)**

Part 2

(a) More than 85% of people surveyed would like to see ....
.... **(1 mark)**

(b) One method suggested is to ....
.... **(1 mark)**

 Eating habits

5 While in Belgium, you hear this interview on the radio.
Listen to the interview and answer the questions in **English**.

Part 1

(a) Why does Mme Moulin think that Belgians are traditional?
.... **(1 mark)**

(b) What is the presenter's reaction to her findings?
.... **(1 mark)**

Part 2

(c) What do half of young Belgians not want to do?
.... **(1 mark)**

(d) What does one third of this group do only once a week?
.... **(1 mark)**

Part 3

(e) Which **two** points does Mme Moulin make about her eating habits in the future?

....

.... **(2 marks)**

 Extreme sports

6 You are listening to a radio phone-in programme on extreme sports. For each speaker write down **one** advantage and **one** disadvantage.

Sport	Advantage	Disadvantage
Bungee jumping		
Paragliding		

(4 marks)

Grammar hint

Revise some of the different forms of the negative which you will hear in this question:

ne ... **rien** nothing
ne ... **pas** not
ne ... **que** only
ne ... **plus** no longer

Revision Guide
Page 22
Sport

Vocab hint

Listen for words which might introduce positive and negative comments in the recording. If you hear **mais, pourtant** or **cependant**, an opposite view will be given.

Listening skills

Don't panic if you hear a word that you do not know, as you can sometimes work out the overall meaning by listening to the words around it. Different answers which mean the same thing will be accepted by examiners.

Revision Guide
Page 27
Festivals

Grammar hint

Questions (c) and (d) relate to the future. This can be expressed using **aller** + the infinitive (**je vais**, etc.) or by using the future tense (will / shall do something). Remember that the future tense endings for all verbs in French are **-ai**, **-as**, **-a**, **-ons**, **-ez**, **-ont**.

Hint

If there are phrases which you do not fully understand, try picking out individual words to help. For example, **territoires** looks like 'territories' and **mer** is 'sea'.

Revision Guide
Page 25 TV

Hint

Listen out for key words here such as **se tromper**, **méchante**, **gentille** and **pleurer**.

An unusual festival

7 While on the internet, you hear an advertisement for a competition. Choose the correct answer to complete each sentence. Write the letter in the box.

(a) The competition is only open to …

A	young children who live in Rouen.
B	children in France and its overseas territories.
C	seven finalists.

(1 mark)

(b) The contest hopes to …

A	encourage children to write their own novels.
B	remind children that reading can be fun.
C	help members of the public who cannot read.

(1 mark)

(c) The contestants will have to …

A	show their love for reading.
B	read aloud in front of a jury.
C	write a short story.

(1 mark)

(d) The winners will get …

A	the chance to have a book published.
B	a part in a play.
C	books of their own choice.

(1 mark)

A new TV game show

8 Listen to these French teenagers discussing the latest game show on TV.
Complete the sentences in **English**.

(a) The girl loved it when the old lady …

.... **(1 mark)**

(b) The boy thinks that his friend is …

.... **(1 mark)**

Exchange preparations

9 You overhear Louis, your French friend, talking about his preparations for a school exchange to England.

Complete the sentences by choosing the correct answer. Write the letter in the box.

Part 1

(a) His friends …

A	were worried about Louis' exchange partner's family.
B	asked his mother to remain optimistic.
C	thought he would have a good time in England.

☐ **(1 mark)**

(b) Louis was …

A	dreading the exchange.
B	worried about spending several weeks away.
C	determined not to spoil the exchange.

☐ **(1 mark)**

Part 2

(c) Louis was the only person …

A	going on the exchange from his school.
B	to have contacted his partner beforehand.
C	to set up his mobile for England.

☐ **(1 mark)**

(d) His partner's family were going to …

A	organise visits during the day and in the evening.
B	try to speak to him in English to reassure him.
C	help him improve his language skills.

☐ **(1 mark)**

Revision Guide
Page 73
Exchanges

Hint

Read the three options carefully. They may all come up in the extract in some way but you will need to focus on the option that relates to Louis' friends.

Listening skills

You might need to infer some meanings (work out meanings from the related words) as the correct answer will not necessarily be given in those exact words in the recording.

Revision Guide
Page 25 TV

Hint

Many literary texts can seem tricky at first but remember that they are really just another source for a question. One way of tackling questions like this is to cross out statements which are not true as you hear them.

Vocab hint

Focus on key vocabulary if you can. For example, for option A, listen for the idea of Josyane having an elder brother.

 A French novel

10 In order to improve your French, you decide to listen to an audio book.
You hear an extract from *Les Petits Enfants du Siècle* by Christiane Rochefort.

Josyane is talking about her early experiences. Choose **two** sentences which are **true** and write the correct letters in the boxes.

A	Josyane has an elder brother.
B	Josyane says that she was an advanced child.
C	Patrick was responsible for Josyane's first steps.
D	Patrick was a quiet baby.
E	Josyane often cried.

(2 marks)

Section B

Questions and answers in **French**

 Mon mode de vie

11 Écoutez Didier et Christine qui parlent de leur mode de vie. Choisissez **deux** phrases qui sont **vraies** et écrivez les bonnes lettres dans les cases.

Première partie

A	Didier était plus actif l'année dernière.
B	Il nage une fois par semaine.
C	Il a beaucoup de temps libre.
D	Il n'est pas en forme.
E	Il faisait du jogging il y a un an.

☐   ☐

(2 marks)

Deuxième partie

A	Christine ne fumera jamais de cigarettes.
B	Elle s'inquiète pour sa santé.
C	Elle trouve que le tabac l'aide à se détendre.
D	Elle a peur de commencer à se droguer.
E	Ses copines ne fument pas.

☐   ☐

(2 marks)

Revision Guide
Page 11
Everyday life,
Page 22 Sport

Grammar hint

Listen carefully – you will hear both the imperfect and the future tense in this recording. They can sound similar, but remember the rules and you will hear the difference. For example, *je m'entraînais* is in the imperfect tense. In the future tense it would be *je m'entraînerai* (listen for the 'er' part of the verb, and also the context).

You can also listen for irregular forms such as *j'allais* to signpost that this is in the past tense – it's completely different from *j'irai*!

Hint

Continue listening and don't get distracted if you think you have missed something.

Revision Guide
Page 74 Future plans, Page 82 Future studies

Revision Guide
Page 51 Volunteering

 Les projets d'avenir

Listen to the recording

12 Dans un café français, vous écoutez ces jeunes qui parlent de l'avenir. Complétez les phrases suivantes en **français**.

(a) Selon Arnaud, si on va à la fac plus tard dans la vie, on gagnera …

…………………………………………………………………… **(1 mark)**

(b) Il est inquiet car il ne sera pas près de sa famille et …

…………………………………………………………………… **(1 mark)**

(c) Élodie va trouver un apprentissage dans …

…………………………………………………………………… **(1 mark)**

(d) Comme elle aura un salaire, elle sera …

…………………………………………………………………… **(1 mark)**

 Le travail bénévole

Listen to the recording

13 Pendant votre échange scolaire en France, vous entendez ces jeunes qui donnent des raisons de faire du travail bénévole.

A	Pour se découvrir.
B	Pour aider les pauvres.
C	Pour se faire de nouveaux amis.
D	Pour se préparer au monde de travail.
E	Pour faire une différence.

Pour chaque jeune, choisissez la raison correcte et écrivez la lettre dans la case.

(a) ☐ **(1 mark)**

(b) ☐ **(1 mark)**

Set A Speaking Higher practice paper

Time allowed: 10–12 minutes
(+12 minutes' supervised preparation time)

Role-play: At school

Instructions to candidates

Your teacher will play the part of your French friend and will speak first. You should address your friend as *tu*.

Where you see this – ! – you will have to respond to something you have not prepared.

Where you see this – ? – you will have to ask a question.

Tu parles avec ton ami(e) français(e) du collège et de l'avenir.

- Voyage scolaire récent (**deux** détails).
- !
- Rapports avec profs (**un** détail).
- Uniforme scolaire – opinion (**deux** détails).
- ? Projets en septembre.

Prepare your answer in this space, using the prompts above. Then play the audio file of the teacher's part and speak your answer in the pauses. You can find a full sample answer of another student's response in the answer section.

Hint

The photo card will last about 3 minutes and the general conversation will last 5–7 minutes.

Revision Guide
Page 73
Exchanges

Hint

Make sure that if you are asked for **two** details, or an opinion and a reason, that you give both.

Revision Guide
Page 59
Protecting the
environment

Speaking skills

In the exam, make sure that you write your notes on the additional answer sheet, not on the photo card itself.

Speaking skills

When you describe a picture, think **PALM** (People, Action, Location, Mood). You could also mention the weather.

Hint

Talking about the environment can really help you show off your language skills if you have revised the appropriate vocabulary and structures. It gives you the chance to use topic-specific vocabulary which can be very impressive. Don't forget to use words from the first three questions to help structure your answer.

Photo card: The environment

Listen to the recording

- Look at the photo during the preparation period.
- Make any notes you wish to on an Additional Answer Sheet.
- Your teacher will then ask you questions about the photo and about topics related to **the environment**.

Your teacher will ask you the following three questions and then **two more questions** which you have not prepared.

- Qu'est-ce qu'il y a sur la photo?
- Qu'est-ce que tu as fait récemment pour protéger l'environnement?
- Quels sont les problèmes principaux dans la région où tu habites?

> Prepare your answer in this space, using the prompts above. Then play the audio file of the teacher's part and speak your answer in the pauses. You can find a full sample answer of another student's response in the answer section.

General conversation

Listen to the recording

1 Qu'est-ce que c'est, un bon ami?
2 Qu'est-ce que tu as fait récemment avec tes copains?
3 Est-ce que tu vas sortir avec ta famille ce week-end?
4 Qu'est-ce que tu aimes manger et boire? Pourquoi?
5 Comment as-tu fêté Noël l'année dernière?
6 Qu'est-ce que tu aimerais changer dans ta vie?

Prepare your answer in this space, using the prompts above. Then play the audio file of the teacher's part and speak your answer in the pauses. You can find a full sample answer of another student's response in the answer section.

Revision Guide
Page 4 Friends, Page 13 Food and drink, Page 19 Arranging to go out, Page 26 Celebrations, Page 74 Future plans

Hint

Remember to answer the question which is asked, not the one you hoped would be asked. You can, however, develop answers in an interesting way to help you say what you have prepared. For example, having briefly answered question 1, you could go on to talk about your best friend and what he / she is like.

Don't forget that at some point in the general conversation you need to ask your teacher a question. An example is given in the sample response to question 4.

Speaking skills

Make sure that you:

- develop (relevant) responses
- give and justify opinions
- respond in a natural-sounding way
- use a wide range of structures and vocabulary with accuracy and good pronunciation.

Set A Reading Higher practice paper
Time allowed: 1 hour
The maximum mark for this paper is 60.

Section A
Questions and answers in **English**

Revision Guide
Page 57
Homelessness

Hint

Several of the alternatives seem plausible initially so take care to eliminate them by examining the text and the questions carefully.

 Homelessness

1 You read this article from a magazine while you are in France.

> Sylvie Martin habite à Lyon où il y a plus de 8000 personnes sans domicile fixe qui vivent dans les rues de la ville. Elle vient de commencer à aider les sans-abri en travaillant pour une association caritative de la région.
>
> Elle exprime ses sentiments: «J'étais choquée par le nombre de SDF dans la ville. Il y a des jeunes et des gens plus âgés, mais ils ont tous besoin d'aide. Ils n'ont pas les moyens de se nourrir mais il est possible de les aider.»
>
> Tous les samedis elle travaille comme bénévole dans les rues où elle distribue des choses indispensables comme des sacs de couchage, des couvertures et des aliments. Pourtant, l'association a besoin d'argent et de plus de bénévoles, alors pouvez-vous faire une différence?

Which **three** statements are true? Write the correct letters in the boxes.

A	Homelessness can affect the young.
B	Sylvie has always worked for a charity.
C	Sylvie was not surprised by the number of homeless people.
D	She works once a week to help the homeless.
E	She sometimes gives out blankets to the people on the streets.
F	She sometimes gives out money to the homeless.
G	The charity has enough volunteers.

(3 marks)

French schools

2 You come across this online forum in which French pupils write about their schools.
Read what Amandine has written.

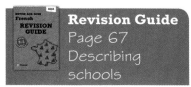

Revision Guide
Page 67
Describing
schools

> Mon collège ne me plaît pas. Les profs sont trop sévères et ils nous donnent trop de devoirs. Hier j'utilisais mon portable en classe pour chercher un mot dans le petit dico électronique et mon prof d'anglais m'a donné une retenue. J'ai dû copier des lignes et il a aussi confisqué mon portable. De plus, on n'a pas le droit de porter de bijoux, ce que je trouve bizarre. J'en ai vraiment marre. J'attends la fin de l'année avec impatience car je vais changer d'école.

Answer the questions in **English**.

(a) What does Amandine say about her teachers?
Give **two** details.

....
.... **(2 marks)**

(b) Why did she get a detention?

.... **(1 mark)**

(c) What does she find weird?

.... **(1 mark)**

(d) Why can't she wait for the end of the year?

.... **(1 mark)**

Hint

Look for vocabulary markers to help you find the right part of the text to answer each question. For example, look for the word meaning 'weird' or 'strange'.

Hint

Remember to answer the questions in English here, otherwise your answers will not count.

Revision Guide
Page 21 Music

Grammar hint

Remember that in French, adjectives usually come after the word they describe. However, some common adjectives like **petit** or **grand** come before.

Hint

Remember that if something is not mentioned in the text, it cannot be counted as false.

 Music

3   You read this article online about the French group Daft Punk.

> Dès leur début, les Daft Punk ont fait partie des artistes français les plus présents à l'étranger. Les célèbres robots (ils refusent de se montrer et portent toujours un casque) ont été parmi les premiers Français de leur génération à faire danser dans les clubs mondiaux. Donc, il n'est pas étonnant de noter qu'ils ont eu de la peine à se sentir français, surtout après avoir signé directement avec le label américain Columbia.
>
> Grâce au succès de leur dernier album (vendu à trois millions d'exemplaires dans le monde), le duo casqué a réussi à s'implanter aussi bien aux États-Unis que dans son pays natal.

For each of the sentences below, write **T** (true), **F** (false) or **NM** (not mentioned).

(a) The group Daft Punk is one of the most successful French groups outside France.

(b) They trained as jazz musicians.

(c) They have no difficulty in feeling French.

(d) Their last album enjoyed great success.

(4 marks)

A young boy

4 Read this extract from the novel *Madame Bovary* by Gustave Flaubert. The character, Charles, is a young boy at a boarding school.

Revision Guide
Page 67
Describing schools

> Charles était un garçon de tempérament modéré, qui jouait aux récréations, travaillait à l'étude, écoutant en classe, dormant bien au dortoir, mangeant bien au réfectoire. Il n'avait qu'un ami, le fils d'un épicier qui avait été envoyé au pensionnat par sa famille.
>
> Le soir de chaque jeudi, Charles écrivait une longue lettre à sa mère, avec de l'encre rouge, puis il repassait ses cahiers ou bien lisait un vieux volume historique qu'on avait laissé à la bibliothèque de l'école. En promenade il bavardait seulement avec le domestique, qui était de la campagne comme lui.
>
> (Adapted and abridged from *Madame Bovary* by Gustave Flaubert).

Hint

There might be some unfamiliar words in literary extracts like this, but think about the type of words you need to answer each question to help you. For example, if you are looking for the French for 'servant' in the passage, it must follow le / un if it is masculine or la / une if feminine.

Answer the questions in **English**.

(a) Give **two** examples of how Charles was considered to be a normal pupil.

....

....

.... **(2 marks)**

(b) How do we know that he was not popular at school?

.... **(1 mark)**

(c) What did Charles do every Thursday?

.... **(1 mark)**

(d) What did he have in common with the servant?

.... **(1 mark)**

Revision Guide
Page 43
Buying gifts

Hint

Some questions have several alternative answers which seem possible, so you need to work hard to identify the correct answers. Read the questions and the text carefully to do so.

 A shopping trip

5   Read Antoine's blog post.

> Ayant décidé de faire les magasins hier, je me suis rendu compte que, puisque j'étais tout seul, c'était une occasion d'acheter des cadeaux pour mon frère qui fêtera demain ses dix-huit ans et pour ma mère qui va célébrer son anniversaire le mois prochain. Mon père m'a emmené au centre-ville en voiture avant de partir au boulot, et j'ai cherché en vain un roman que mon frère voulait depuis longtemps. J'ai enfin réussi à lui acheter un maillot de foot de son équipe préférée à un prix très élevé!
>
> Après avoir pris un déjeuner rapide, j'ai passé une demi-heure dans une bijouterie où je cherchais sans succès une bague en argent pour ma mère. J'étais vraiment déçu, mais en rentrant chez moi à pied, j'ai remarqué une belle écharpe en soie dans la vitrine d'un petit magasin caritatif du coin. J'ai appelé ma sœur pour savoir son opinion car c'était un accessoire d'occasion, mais elle m'a dit de l'acheter, alors j'étais ravi d'avoir trouvé deux bons cadeaux pour ma famille!

Choose the correct answer and write the correct letter in the box.

(a) Antoine realised that he could buy presents for his family because …

A	he had saved enough money.
B	he was on his own.
C	he was feeling generous.

(1 mark)

(b) His brother …

A	has a birthday next month.
B	will soon be 18.
C	has just turned 18.

(1 mark)

(c) His dad took him into town …

A	on his way to work.
B	before breakfast.
C	because he was going shopping too.

(1 mark)

(d) Antoine wanted to buy his brother …

A	a football shirt.
B	an Italian shirt.
C	a novel.

(1 mark)

Reading skills

If you are having trouble deciding which is the correct answer, try ruling out the options you know are definitely wrong first.

(e) He was disappointed because …

A	he had not found a ring.
B	he didn't have enough money for the present he wanted for his mum.
C	he could not find a scarf.

(1 mark)

(f) He phoned his sister because …

A	she wanted him to buy a silver bag.
B	he wanted to check that she had not bought the same present.
C	he was concerned about buying a second-hand scarf.

(1 mark)

Revision Guide
Page 62
World problems

Hint

Try to work out the meaning of some of the more difficult words by using the context and your knowledge of English. For example, **exploitation des richesses par les pays européens** might refer to some type of exploitation by European countries and **richesses** could be worked out using your knowledge of cognates and near-cognates.

 Poverty in Africa

6 You read this online article on African poverty.

> L'Afrique est le continent le plus pauvre du monde. Les vingt pays les plus pauvres sont africains sauf un: le Népal. La vie quotidienne de plein d'Africains est très dure: insuffisance de nourriture, taux de chômage incroyable, manque de soins médicaux de base et climat défavorable.
>
> Ajoutons à cela une exploitation des richesses par les pays européens comme la France, qui date du dix-huitième siècle, et les effets des guerres civiles qui provoquent à la fois le déplacement de populations ainsi que la mise en place de gouvernements fragiles dans certains pays déjà instables.
>
> La pauvreté est responsable de graves problèmes de sous-alimentation et de malnutrition qui affaiblissent les personnes atteintes, voire sont responsables de leur mort. De plus, au Niger, plus de quatre-vingt-dix pour cent des adultes sont analphabètes. Même dans les pays plus développés comme la Gambie, l'effort éducatif est concentré dans les villes et le manque d'instruction primaire de la population campagnarde pénalise la formation individuelle et gêne le développement général des pays, faute d'une main-d'œuvre suffisamment qualifiée.

Answer the questions in **English**.

(a) How do we know from the article that Africa is the poorest continent in the world?

.... **(1 mark)**

(b) Give **three** reasons why the lives of some Africans are so hard.

....

....

.... **(3 marks)**

(c) What historic reason is given for Africa's situation?

.... **(1 mark)**

(d) What is a prime cause of death in Africa?

.... **(1 mark)**

(e) What are we told about most adults in Niger?

.... **(1 mark)**

(f) What is hindering educational progress in countries like Gambia? Give **two** details.

....

....

.... **(2 marks)**

Future jobs

7 You read these letters about career ambitions in a French magazine. Identify the people.

Write **A** (Annie)   **K** (Kévin)

   R (René)   **E** (Ellie)

Revision Guide
Page 83 Future professions

Hint

When there are separate passages to read, try to finish them all before looking at the questions. Then go back and read them again to pick up on specific answers.

> J'ai envie de devenir coiffeuse. Je sais que beaucoup de gens disent que c'est un métier qui ne sert à rien, mais à mon avis, on pourrait rencontrer plein de gens et développer des amitiés qui dureront longtemps.
> **Annie, 16 ans**

> Mes parents veulent que je sois chirurgien, comme mon oncle, mais je ne suis pas habile et cela ne m'intéresse pas. J'aimerais plutôt travailler dans l'informatique.
> **René, 18 ans**

> Je voudrais poursuivre une carrière où je pourrai utiliser mes compétences dont la créativité est la principale. Je crois que je serai architecte, mais je sais qu'il faut travailler par tous les temps et qu'on risque d'être blessé par des chutes d'objets lourds. **Kévin, 17 ans**

> J'ai toujours rêvé de devenir chanteuse ou actrice, mais mes copines se moquent de moi. Elles disent que je devrais être plus réaliste. **Ellie, 19 ans**

(a) I don't want to follow a family career path.   ☐

(b) The job I want could help forge friendships.   ☐

(c) I want to choose a career which suits my skills.   ☐

(d) I would like to follow my dreams despite what my friends think.   ☐

(4 marks)

Revision Guide
Page 54
Healthy eating

Hint

Don't panic if you don't know a key word. You can often work out what it means by reading the rest of the text.

Here, for example, if you don't know **le surpoids**, think first about the rest of the text, which includes **santé publique** and **obèse**. Then think about how you could break down the word itself into **sur** and **poids**.

You can also use the vocabulary in the questions to help you.

Section B
Questions and answers in **French**

 La guerre contre le surpoids

8   Lisez cet article sur le surpoids.

En Guadeloupe, le surpoids est un vrai problème de santé publique vu qu'une personne sur deux est obèse, un chiffre qui est quatre fois plus élevé qu'en France. Le problème va toujours croissant, donc l'Agence régionale de santé (ARS) a déjà lancé de multiples initiatives afin de lutter contre ce fléau. Parmi elles, le programme nutrition-santé Carambole a pour but la prévention du surpoids en ciblant les élèves de maternelle.

En essayant de sensibiliser les très jeunes enfants, on veut établir des routines alimentaires plus saines chez une génération d'enfants pour réduire le risque de diabète et de problèmes de cœur.

Si la majeure partie des projets de prévention et de sensibilisation concerne les jeunes, il est également nécessaire de ne pas négliger les adultes, les femmes tout particulièrement qui, en tant que mères, peuvent être les actrices primordiales d'une alimentation saine et équilibrée. Le programme Feel So Light cherche à connecter le corps à l'esprit en combinant les principes de nutrition et la perception qu'on pourrait avoir de soi-même.

Tous ceux qui participent aux programmes espèrent améliorer la vie de tous les Guadeloupéens en aidant les gens à prendre conscience de leur potentiel pour découvrir un processus durable de perte de poids et pour contribuer à l'épanouissement personnel.

Répondez aux questions en **français**.

(a) Comment sait-on que l'obésité est un véritable problème en Guadeloupe?

.... **(1 mark)**

(b) Le programme nutrition-santé Carambole concerne qui en particulier?

.... **(1 mark)**

(c) On essaie d'améliorer la santé des jeunes en réduisant quelles maladies?

....

.... **(2 marks)**

(d) Pourquoi est-ce que les femmes sont particulièrement importantes?

....

.... **(1 mark)**

(e) Quels sont les buts du programme Feel So Light? Donnez **deux** détails.

....

.... **(2 marks)**

Hint

Don't be fazed by longer, more complex passages. Remember that the questions follow the order of the text, so you should be able to work out where you will find the answers.

Pourquoi va-t-on en vacances?

9 Pendant un échange scolaire, vous lisez cet extrait d'un site Internet sur les vacances.

Revision Guide
Page 35
Holiday plans

> Les vacances ne sont pas une occasion de passer toute la journée au lit à regarder un écran, il faut se bouger!
>
> Pourquoi devrait-on partir en vacances?
>
> Il faut absolument sortir de la routine. Bousculez vos habitudes en voyageant et sortez de votre cage. Vous serez obligé de faire de nouvelles expériences et quand vous reviendrez, vous aurez un regard neuf sur votre quotidien, je vous assure.
>
> Naturellement on peut découvrir le monde en voyageant. Imaginez avoir des amitiés dans chaque région du monde!
>
> Confrontez vos préjugés, parcourez le monde, et ne soyez pas négatif! Des expériences gastronomiques vous attendent.
>
> Selon moi, la raison la plus importante de faire des voyages, c'est de mieux se connaître. En essayant des vacances sauvages, par exemple, on pourrait démontrer ses aptitudes relationnelles, son sens de l'organisation et aussi sa résistance physique!

Pour chacune des phrases ci-dessous, notez **V** (vrai), **F** (faux) ou **PM** (pas mentionné).

(a) Une raison d'aller en vacances est d'améliorer ses compétences linguistiques. ☐ **(1 mark)**

(b) On dit que rester en pyjama toute la journée est une bonne idée. ☐ **(1 mark)**

(c) En voyageant, on peut changer ses habitudes. ☐ **(1 mark)**

(d) Selon l'article, la raison principale d'aller en vacances est de se découvrir. ☐ **(1 mark)**

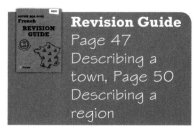

Revision Guide
Page 47
Describing a town, Page 50 Describing a region

Hint

When the text and the alternatives are in French, looking for word families or synonyms is even more important.

Hint

It's a good idea to cross off the statements which are wrong as you go through the text, but take care to remember how many correct answers you are looking for!

 La vie à Montréal

10 Vous lisez ce poste sur une site Internet. Jean décrit sa ville natale.

> Je viens de passer mes vacances en France. De retour dans ma ville natale, Montréal, j'ai recommencé à apprécier ses charmes. Quand on croise le regard d'un passant, il sourit immédiatement et on te tutoie sans hésitation. Les touristes sont toujours les bienvenus. Dès qu'on remarque un touriste avec une carte ouverte, on va lui demander s'il a besoin d'aide.
>
> À Montréal, on ne court pas et on ne se bouscule jamais dans le métro, même aux heures de pointe. On célèbre la première neige avec la même ferveur que les premières températures positives: dès le moment où il fait plus de dix degrés, c'est l'été!
>
> Montréal n'est pas une ville parfaite. Je déteste les embouteillages interminables et je voudrais qu'on développe suffisamment les transports en commun, mais la ville, à l'image de ses habitants, est chaleureuse, reconnaissante de son histoire mais tournée vers l'avenir, ouverte, cosmopolite et délicieuse à vivre!
>
> **Jean, 26 ans**

Choisissez dans la liste **quatre** phrases qui sont **vraies**. Écrivez les bonnes lettres dans les cases.

A	Jean passe toujours ses vacances à Montréal.
B	Dans les rues de Montréal, les gens sont normalement aimables.
C	À Montréal on voit rarement des touristes.
D	Les habitants de Montréal sont prêts à aider les touristes.
E	Dans le métro de Montréal, les gens sont souvent impolis.
F	À Montréal il fait toujours chaud.
G	On s'habitue au temps froid à Montréal.
H	Les transports en commun y sont bien développés.
I	Il y a souvent trop de circulation à Montréal.

☐   ☐   ☐   ☐   **(4 marks)**

Section C
Translation into **English**

11 Your sister has seen this post on Facebook and asks you to translate it for her into **English**.

> Selon mes parents, je suis paresseux et ils disent que je ne fais rien à l'école. Hier soir, ils ont refusé de me laisser sortir avec mes amis car je n'avais pas fini mes devoirs. J'étais vraiment déçu. J'essayerai d'obtenir de meilleures notes parce que je voudrais avoir plus de liberté à l'avenir.

....

....

....

....

....

....

....

....

....

....

....

....

....

....

....

....

....

....

....

....

....

....

(9 marks)

Revision Guide
Page 19
Arranging to go out, Page 64
School life

Reading skills

Make sure that you read your final answer through to check that what you have written makes sense in English.

Reading skills

There might be several ways to translate certain words or phrases, but don't worry – a number of different alternatives will be accepted as long as they are correct.

Grammar hint

Check the tenses of the verbs here and make sure that you translate them correctly into English.

For example, suis / disent = present, ont refusé = perfect, avais fini = pluperfect, étais = imperfect, essayerai = future, voudrais = conditional.

Set A Writing Higher practice paper

Time allowed: 1 hour 15 minutes

The maximum mark for this paper is 60.
Answer all questions in **French**

Answer **either** Question 1.1 **or** Question 1.2.
You must **not** answer **both** of these questions.

EITHER Question 1.1

Q 1.1

La vie en famille

Vous décrivez la vie en famille pour votre blog.
Décrivez:

- les membres de votre famille
- vos rapports
- une visite récente avec votre famille
- vos projets en famille pour le week-end prochain.

Écrivez environ **90** mots en **français**. Répondez à chaque aspect de la question.

....
....
....
....
....
....
....
....
....
....
....
....
....
....
....
....

(16 marks)

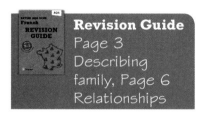

Revision Guide
Page 3
Describing
family, Page 6
Relationships

Hint

If you think that you can develop one bullet point in more detail than the others, that is fine. In the sample answer (see the answers section), the first bullet point is more developed as it is a more familiar topic for the student.

Revision Guide
Page 59
Protecting the
environment

OR Question 1.2

Q 1.2

L'environnement

Vous écrivez sur l'environnement pour votre blog.
Décrivez :

- le problème environnemental le plus grave selon vous
- vos opinions sur les problèmes environnementaux
- ce que vous avez fait récemment pour protéger l'environnement
- vos actions environnementales à l'avenir.

Écrivez environ **90** mots en **français**. Répondez à chaque aspect de la question.

....

....

....

....

....

....

....

....

....

....

....

....

....

....

....

....

(16 marks)

Writing skills

Make sure that you use three time frames in your response as two of the bullet points will refer to time frames other than the present.

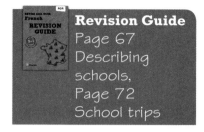

Revision Guide
Page 67
Describing
schools,
Page 72
School trips

Grammar hint

To show off what you
know, it is always
worth trying to
include constructions
with the infinitive in
French. Verbs like
décider de or **réussir
à** + the infinitive and
expressions such
as **avant de** + the
infinitive are impressive
when they are used
correctly! It is also a
good idea to vary more
common verbs. Have
a look at the sample
answer for examples of
how to do this.

Answer **either** Question 2.1 **or** Question 2.2.
You must **not** answer **both** of these questions.

EITHER Question 2.1

Q 2.1

L'école

Vous écrivez un blog sur votre école pour un site web français.
Décrivez:

- votre école et vos opinions sur les profs
- une visite scolaire récente.

Écrivez environ **150** mots en **français**. Répondez aux deux aspects
de la question.

....
....
....
....
....
....
....
....
....
....
....
....
....
....
....
....
....
....
....
....
....
....
....

(32 marks)

OR Question 2.2

Q 2.2

La vie d'adolescent

Vous écrivez un article sur votre vie d'adolescent pour un magazine français.
Décrivez:

- vos passe-temps préférés et pourquoi vous avez ces passe-temps
- un événement récent mémorable dans votre vie.

Écrivez environ **150** mots en **français**. Répondez aux deux aspects de la question.

....
....
....
....
....
....
....
....
....
....
....
....
....
....
....
....
....
....
....
....
....
....
....

(32 marks)

Revision Guide
Page 20
Hobbies,
Page 26
Celebrations

Hint

Using pronouns is a good way to raise your language level. Try using *eux / elles*, *me* or *y* but check where they go in the sentence in French. Once you have written your answer, check the sample answer in the answer section for more ideas.

Revision Guide
Page 35
Holiday plans,
Page 36 Holiday
experiences,
Page 78
Part-time jobs

Hint

I spent – which verb is this in French?

by the sea – you could say 'at the seaside' if you prefer.

went shopping – remember, in French you use **faire** rather than **aller** for shopping. Make sure you use the plural verb.

next summer – think about word order in French.

I will have to – this is part of **devoir**.

Grammar hint

Concentrate on tenses – take each verb and decide which tense to use.

I spent / I stayed = perfect

went shopping / relaxed = imperfect

would like = conditional

will have to = future

intend = present

Q 3

Translation: Les vacances

Translate the following passage into **French**.

> Last year I spent my holidays in Scotland. I stayed in an enormous hotel by the sea. Every afternoon my parents went shopping while I relaxed on the beach. Next summer I would like to visit Italy with my friends. I will have to earn some money, so I intend to get a part-time job.

....
....
....
....
....
....
....
....
....
....
....
....
....
....
....
....
....
....
....
....
....
....
....

(12 marks)

Set B Listening Foundation practice paper
Time allowed: 35 minutes
(including 5 minutes' reading time before the test)

The maximum mark for this paper is 40.
Section A
Questions and answers in **English**

 At the tourist office

1   You are in a French tourist office and hear other tourists asking
questions.

A	Visit the church
B	Go cycling
C	Go shopping
D	Visit a theme park
E	Visit the museum
F	Go camping
G	Watch a film

What do these people want to do?
Write the correct letter in each box.

(a) ☐   **(1 mark)**

(b) ☐   **(1 mark)**

(c) ☐   **(1 mark)**

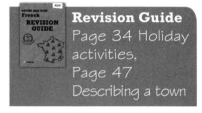

Revision Guide
Page 34 Holiday
activities,
Page 47
Describing a town

Listening skills

You often need to
listen for key words.
Sometimes it is the
direct translation of a
word but sometimes
not. For example, if you
heard la gare, that
might indicate that
someone wanted to
catch a train.

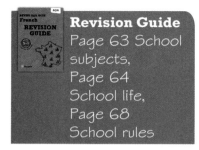

Revision Guide
Page 63 School subjects.
Page 64
School life,
Page 68
School rules

Hint

Make sure that you listen for the name before you decide on the reason.

 A French school

2 Your exchange partner and his friends are talking about school.

For each person, write in the box a reason why they dislike school. Answer in **English**.

Example:

Person	Reason
Sophie	Maths teacher is too strict.

(a)	Jamel		(1 mark)
(b)	Rashida		(1 mark)
(c)	Fleur		(1 mark)

Revision Guide
Page 78
Part-time jobs

Listening skills

Listen carefully for negatives as this changes the meaning of the verb.

 Part-time jobs

3 Your exchange partner is telling you what his friends, Lydie, Sébastien and Chloé, do as part-time jobs.

A	Wants a different job
B	Likes colleagues
C	Job is badly paid
D	Job is boring
E	Works every evening
F	Job is interesting
G	Works in a café

Which statement goes with each person?

Write the correct letter in the box.

Lydie		(1 mark)
Sébastien		(1 mark)
Chloé		(1 mark)

 Ambitions

Listen to the recording

4 Your French friend is telling you about her ambitions for the future.
Listen to the recording and answer the questions in **English**.

(a) What does she plan to do when she leaves school?

.... **(1 mark)**

(b) Where does she plan to travel in the future?

.... **(1 mark)**

(c) What type of job would she like?

.... **(1 mark)**

(d) What does she say about future relationships?

.... **(1 mark)**

 Free-time activities

Listen to the recording

5 During an online chat with your exchange school, Karine tells you
what she does in her free time.

A	Going cycling
B	Playing chess
C	Reading novels
D	Playing volleyball
E	Collecting stamps
F	Going water skiing
G	Going skiing

What **three** things does Karine enjoy doing?

Write the correct letters in the boxes.

(3 marks)

Revision Guide
Page 83 Future
professions

Hint

At this level, there are
few, if any, distractors
(alternative options
that sound as if
they could be right)
so concentrate on
listening for key items
of vocabulary.

Grammar hint

Remember, there are
lots of ways to refer to
the future. You can use
the future tense or:

J'ai l'intention de
I intend to

Je vais I am going to

J'espère I hope to

 **Revision Guide**
Page 20
Hobbies

Hint

Make sure you do not
include activities that
other people like.

Revision Guide
Page 51
Volunteering

Hint

Make sure you don't confuse similar-sounding numbers (**deux**, **dix**, **douze**, for example).

Revision Guide
Page 70
Primary school

Grammar hint

Take note of the verbs used here: **bavarder** and **supporter** are in the imperfect tense.

We use the imperfect tense for things which used to happen in the past. The endings -**ais**, -**ait**, and -**aient** are all pronounced like **é**, which should help you spot them. See page 102 of the Revision Guide for more on the imperfect tense.

Hint

Remember to revise your 24-hour clock – it is often used in French.

 Young people and voluntary work

Listen to the recording

6 You hear this report on voluntary work among young French people.
Listen to the report and answer the questions in **English**.

(a) Why do most young people do voluntary work?

.... **(1 mark)**

(b) What reason do 20% of the people in the survey give for doing voluntary work?

.... **(1 mark)**

(c) What percentage of those surveyed do work to improve their skills?

.... **(1 mark)**

Primary school

Listen to the recording

7 Your French friend, Lucille, is telling you about her old primary school.
Listen to what she says and answer the questions in **English**.

(a) What did she like best about her primary school?

.... **(1 mark)**

(b) What did she do at break on most days?

.... **(1 mark)**

(c) What does she say about her teachers?

.... **(1 mark)**

(d) Which rule did she use to hate?

.... **(1 mark)**

 Technology

Listen to the recording

8 You hear this radio programme about online technology. Choose the correct answer and write the letter in the box.

(a) Jules goes on social media …

A	very rarely.
B	every day.
C	once a week.

☐ **(1 mark)**

(b) Yesterday Jules …

A	bought a new mobile.
B	downloaded music online.
C	lost his mobile.

☐ **(1 mark)**

(c) He mostly uses his computer to …

A	send emails.
B	research school projects.
C	check sports results.

☐ **(1 mark)**

(d) Jules never …

A	posts photos on sites.
B	tells anyone his password.
C	uses his real name online.

☐ **(1 mark)**

(e) Tomorrow he is going to …

A	change his password.
B	buy a new tablet.
C	ask his parents for financial help.

☐ **(1 mark)**

Revision Guide
Page 16 Social media, Page 17 Technology

Hint

Take care to be exact in your answers and listen for the correct tense of the verb.

Revision Guide
Page 39
Holiday problems

Listening skills

There will sometimes be more than one acceptable answer, so do not try to give too much information for one mark.

Also, take care with cognates and near-cognates. *Agréable* and *impoli* are examples.

 A difficult holiday

Listen to the recording

9 You hear this interview on French radio about a disastrous holiday. Write the answers to the questions in the box in **English**.

Example:

Where did Salika go on holiday?	Morocco

(a)

How did Salika find the flight?	

(1 mark)

(b)

What was the problem with the hotel's location?	

(1 mark)

(c)

What does Salika say about the food in the hotel?	

(1 mark)

(d)

How is the hotel owner described?	

(1 mark)

Section B
Questions and answers in **French**

 Les rapports

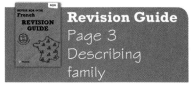 **Revision Guide**
Page 3
Describing family

10 Gabriel parle de sa famille.
Complétez la phrase avec les bons mots. Écrivez la bonne lettre dans la case.

(a) Gabriel s'entend mieux avec …

A	son frère aîné.
B	sa sœur cadette.
C	son petit frère.

(1 mark)

(b) Il trouve Robert …

A	drôle.
B	énervant.
C	strict.

(1 mark)

(c) Il dit que sa mère est très …

A	drôle.
B	énervante.
C	stricte.

(1 mark)

(d) Son père aime …

A	l'équitation.
B	le cyclisme.
C	la natation.

(1 mark)

(e) Gabriel fait du vélo …

A	souvent.
B	rarement.
C	de temps en temps.

(1 mark)

Listening skills

Remember to listen for the context of the words. Gabriel talks about two of his siblings but which does he get along best with?

Hint

Remember that there are different ways of saying the same thing: 'little sister' and 'younger sister', for example. In French these would be **petite sœur** and **sœur cadette**.

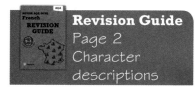

Revision Guide
Page 2
Character
descriptions

Hint

One way of
approaching this sort
of question is to write
down the words you
hear and then try to
see if they fit with
any of the French
adjectives given to
describe the people.

 Mes collègues

Listen to the recording

11 Yolande parle de son travail.

A	amusante
B	agaçante
C	fidèle
D	gentille
E	généreuse
F	impatiente

Comment sont ses collègues?

Écrivez la bonne lettre dans la case.

(a) Pauline est

☐

(1 mark)

(b) Olivia est

☐

(1 mark)

(c) Connie est

☐

(1 mark)

Set B Speaking Foundation practice paper

Time allowed: 7–9 minutes
(+ 12 minutes' supervised preparation time)

Role-play: Family

Hint

The photo card will last about 2 minutes and the general conversation will last 3–5 minutes.

Instructions to candidates

Your teacher will play the part of your French friend and will speak first. You should address your friend as *tu*.

Where you see this – ! – you will have to respond to something you have not prepared.

Where you see this – ? – you will have to ask a question.

Tu parles de la famille et des amis avec ton ami(e) français(e).

- Membre de ta famille – description.
- Ta famille – ton opinion (**une** raison).
- !
- Activité préférée avec ta famille (**un** détail).
- ? Meilleur ami.

Prepare your answer in this space, using the prompts above. Then play the audio file of the teacher's part and speak your answer in the pauses. You can find a full sample answer of another student's response in the answer section.

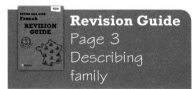

Revision Guide
Page 3
Describing family

Hint

In role-plays, try to predict what the unprepared question might be. In this task, you are discussing friends and family so it might be a question which concerns both friends and family.

Speaking skills

Remember that to ask a question you can use your voice – just go up at the end of the sentence. You need to keep your answers short and to the point – a full sentence is not always needed.

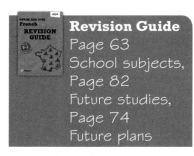

Revision Guide
Page 63
School subjects,
Page 82
Future studies,
Page 74
Future plans

Hint

Once you have expanded on the basic answer by giving an opinion plus an explanation or justification, you do not need to add any further details.

Grammar hint

You can use on to mean 'you' (in general) but remember it uses the third person of the verb (the same as il / elle).

Photo card: Future studies

Listen to the recording

- Look at the photo during the preparation period.
- Make any notes you wish to on an Additional Answer Sheet.
- Your teacher will then ask you questions about the photo and about topics related to **future studies**.

Your teacher will ask you the following three questions and then **two more questions** which you have not prepared.

- Qu'est-ce qu'il y a sur la photo?
- Qu'est-ce que tu vas faire en septembre prochain?
- Tu trouves quelles matières utiles au collège?

Prepare your answer in this space, using the prompts above. Then play the audio file of the teacher's part and speak your answer in the pauses. You can find a full sample answer of another student's response in the answer section.

General conversation

1 Tu aimes ton école? Pourquoi/pourquoi pas?
2 Qu'est-ce que tu as fait pour profiter de ton éducation?
3 Que penses-tu des échanges scolaires?
4 Où passes-tu tes vacances normalement?
5 Où aimerais-tu passer tes vacances idéales?
6 C'est quoi, ton moyen de transport préféré? Pourquoi?

> Prepare your answer in this space, using the prompts above. Then play the audio file of the teacher's part and speak your answer in the pauses. You can find a full sample answer of another student's response in the answer section.

Revision Guide
Page 67 Describing schools, Page 71 Success at school, Page 73 Exchanges, Page 28 Holiday preferences, Page 32 Holiday destinations, Page 33 Travel

Hint

Even if a question is asked in the present tense, you can add material which is relevant to the question in a different tense. Take a look at the answers for questions 3 and 4 on page 126 where this has been done: Il y a deux ans je suis allé(e)...; l'année dernière nous sommes allés ...

Speaking skills

You can introduce opinions with phrases like je pense que ..., à mon avis ..., je préfère.

Grammar hint

The conditional means 'would do something' in English. It's easy to use je voudrais or j'aimerais (I would like) in your conversation.

Set B Reading Foundation practice paper
Time allowed: 45 minutes

Total number of marks: 60
Section A
Questions and answers in **English**

 Free time activities

Revision Guide
Page 20
Hobbies

1 An online magazine has published an article about hobbies. Read these people's opinions.

Jacques — Je suis très sportif, alors je vais souvent au centre sportif où je joue au volley et au basket. Je préfère les sports d'équipe.

Tammy — Je déteste le sport. Je préfère faire les magasins ou écouter de la musique chez moi avec mes copines.

Vincent — Ma passion c'est la lecture. Je lis chaque jour mais j'aime aussi regarder la télé. Je préfère la télé-réalité.

Kathy — Je n'ai pas beaucoup de temps libre parce que j'ai trop de travail scolaire. De temps en temps je vais au ciné.

Géraldine — Le week-end j'aime bien jouer au golf.

Alain — Mon passe-temps préféré, c'est le patin à glace. Je vais à la patinoire deux fois par semaine.

Nathalie — Je joue dans l'orchestre de l'école. Je joue de la flûte et de la clarinette.

Simon — Je fais des promenades à vélo avec mes amis. On peut oublier tous les problèmes!

Hint

Don't focus too much on individual words in the questions. For example, 'film' does not appear in the text so look for words which might mean the same or activities which are associated with films.

Reading skills

Take care with words that look like English words but have different meanings ('false friends') such as **magasins** (not magazines) or **lecture** (not lecture).

Grammar hint

Remember, you use **jouer à** with a sport you would 'play' in English and **faire de** for other sports. For instruments, it is **jouer de**.

Write the name of the correct person for each statement.

(a) Who likes reading? [ ] **(1 mark)**

(b) Who has little free time? [ ] **(1 mark)**

(c) Who does a hobby twice a week? [ ] **(1 mark)**

(d) Who likes shopping? [ ] **(1 mark)**

(e) Who plays an instrument? [ ] **(1 mark)**

(f) Who likes to cycle? [ ] **(1 mark)**

(g) Who likes team sports? [ ] **(1 mark)**

Revision Guide
Page 58
Being green

Grammar hint

Remember that adjectives in French usually agree with the word that they describe, so you need to add -e for feminine, -s for masculine plural and -es for feminine plural. Look here at **les trajets courts** but note that **bio** is an exception – it never changes its spelling.

Hint

Remember to read texts closely as there can be negatives or other phrases which can lead you to a wrong answer. For example, statement D refers to short journeys (**trajets courts**) which is in the text, so look back and check if the means of transport mentioned (bus) is correct.

Helping the environment

2 You see this advertisement about the ways in which Marco the Mole helps the environment.

Je m'appelle Marco et j'aime protéger la planète. Je prends toujours une douche au lieu d'un bain. Je recycle les journaux tous les jours et je recycle les bouteilles en verre le lundi et le vendredi. Je prends le bus ou, pour les trajets courts, je me déplace à vélo. Quand je vais au supermarché j'achète des produits bio. J'économise aussi l'électricité.

Which **three** statements are true? Write the correct letters in the boxes.

A	Marco always takes a bath.
B	He recycles newspapers every day.
C	He recycles glass twice a week.
D	For short journeys he travels by bus.
E	He tries to buy products which are green.
F	He also saves time.
G	He never saves electricity.

(3 marks)

Homelessness

3 Read this article about social problems.

> Selon une enquête récente à Paris, il y a plus de trois mille sans-abri qui dorment dans les rues de la capitale. Naturellement ils n'ont pas d'emploi. Ils reçoivent des pièces de monnaie des passants dans la rue, mais ils ont froid, surtout en hiver, et parfois peur aussi. La plupart des sans-abri sont jeunes; ils ont moins de trente ans. Il faut encourager le gouvernement à aider ces pauvres. Ils ont souvent l'air triste.

Answer the questions in **English**.

(a) How many homeless people are there in Paris?

.... **(1 mark)**

(b) Apart from a home, what else do they not have?

.... **(1 mark)**

(c) At what time of year are their problems especially bad?

.... **(1 mark)**

(d) What does the article say about the majority of homeless people?

.... **(1 mark)**

(e) Who should help the homeless according to the article?

.... **(1 mark)**

(f) How do the homeless people often look?

.... **(1 mark)**

Revision Guide
Page 57
Homelessness

Hint

Make sure that you try to give exact details when numbers are asked for. You can easily confuse some larger numbers so revise them before the exam.

Hint

Take care with specific vocabulary items. Try to make your own lists to learn and put them into different categories such as adjectives. Here, you might learn *triste* and *jeune*.

Vocab hint

selon une enquête
according to a survey

pièces de monnaie
coins

avoir peur to be afraid

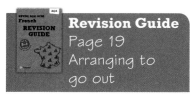

Revision Guide
Page 19
Arranging to
go out

Reading skills

When reading an authentic French text, don't worry too much if you don't understand it all. Sometimes some of the language used may be quite unusual but it will not necessarily be tested.

Hint

When you need to work out the meaning of a word, look at the context (the sentence in which it occurs) and try to work out what other words around it mean. For example, **parapet** might be unknown but it is linked to **y monter** (to go up there) – which is the clue you need!

Hint

Read the text a couple of times before you start on the questions – you may find that some words later in the passage will help you understand what is happening earlier on.

Une promenade

4   Read this extract from the novel *Le Rouge et le Noir* by Stendhal. A family is on an outing together.

> C'était par un beau jour d'automne que M. de Rênal se promenait sur la plage, donnant le bras à sa femme. Tout en écoutant son mari qui parlait d'un air grave, l'œil de Madame de Rênal suivait avec inquiétude les mouvements de leurs trois petits fils. L'aîné, qui pouvait avoir onze ans, s'approchait trop souvent du parapet et essayait d'y monter. Une voix douce prononçait alors le nom d'Adolphe, et l'enfant renonçait à son projet ambitieux. Madame de Rênal paraissait une femme de trente ans, mais encore assez jolie.
>
> (adapted from *Le Rouge et le Noir*, Stendhal)

Choose the correct answer to complete each sentence and write the letter in the box.

(a)   The outing took place in the …

A	autumn.
B	winter.
C	summer.

(1 mark)

(b)   The family was …

A	in town.
B	at the seaside.
C	in the mountains.

(1 mark)

(c)   Mme de Rênal was …

A	watching her husband.
B	speaking to her husband.
C	listening to her husband.

(1 mark)

(d) She seemed …

A	happy.
B	worried.
C	carefree.

Hint

Do not be put off by old-fashioned language in literary texts.

(1 mark)

(e) The eldest son was …

A	chasing Adolphe.
B	speaking quietly.
C	trying to do some climbing.

(1 mark)

(f) According to the passage Mme de Rênal is …

A	about 40 years old.
B	ambitious.
C	quite pretty.

(1 mark)

Revision Guide
Page 78
Part-time jobs

Reading skills

Remember that the questions normally follow the order of the text. Some sentences in the text will not necessarily provide any answers, but they might help you establish the context.

  A part-time job

5   Read what Alice says about her part-time job.

Answer the questions in **English**.

> J'ai commencé mon petit boulot dans un magasin de vêtements il y a six mois. Je sers les clients et je nettoie le magasin à la fin de la journée le samedi et le dimanche. Je m'entends très bien avec le propriétaire et je reçois dix euros par heure. J'ai économisé un peu d'argent car je voudrais m'acheter une nouvelle robe pour l'anniversaire de ma tante.

(a) When did Alice start her job?

.... **(1 mark)**

(b) Where does Alice work?

.... **(1 mark)**

(c) What **two** things does she do there?

....
.... **(2 marks)**

(d) Who does she like at work?

.... **(1 mark)**

(e) Why has she been saving up her money?

.... **(1 mark)**

Celebrations

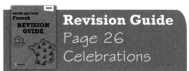
6 You read Delphine's blog about her favourite celebration.

Answer the questions in **English**.

> Noël me plaît bien et c'est sans doute ma fête préférée. J'adore
> décorer le sapin de Noël et j'aime donner et recevoir des
> cadeaux, bien sûr. L'an dernier, je suis allée à un grand marché
> de Noël à Colmar et j'y ai acheté une montre en or comme
> cadeau pour mon petit ami.
>
> La veille de Noël, normalement, toute la famille se réunit
> chez mon oncle où on mange un énorme repas avant d'aller
> à la messe de minuit. L'année prochaine tout va changer: on
> a décidé de passer Noël chez ma sœur aînée parce qu'elle va
> bientôt acheter sa propre maison.

(a) What **three** things does Delphine enjoy doing at Christmas?

....

....

.... **(3 marks)**

(b) What did she buy in Colmar for her boyfriend?

.... **(1 mark)**

(c) What does the family usually do before church on Christmas
Eve? Give **one** detail.

....

.... **(1 mark)**

(d) What will change next Christmas?

.... **(1 mark)**

Revision Guide
Page 26
Celebrations

Grammar hint

Remember that **y**,
meaning 'there', is a
pronoun which comes
before the verb. In the
perfect tense it comes
before the auxiliary
verb.

Vocab hint

Watch out for time
phrases and adverbs
which can sometimes
help with meaning.
Here we have **sans
doute** (probably),
normalement (normally)
and **bientôt** (soon).
See page 112 of the
Revision Guide for
more time expressions
to revise.

Hint

Remember to give
exact answers. For
example, question (b)
needs a detailed
response.

Revision Guide
Page 74
Future plans

Reading skills

Do not assume that because the words in the possible answers are also in the text that the answer must be correct. You might need to look for a synonym, or a negative which changes the meaning.

Section B
Questions and answers in **French**

 Les ambitions

7   Lisez ces opinions sur des projets pour l'avenir.

Marianne:	Moi, je vais chercher un emploi comme infirmière parce que j'aimerais aider les autres. Je sais que ce n'est pas un travail bien payé, mais pour moi, ce qui importe, c'est d'être heureuse.
Paulette:	Après avoir fini mes études universitaires, je voudrais voyager un peu afin de découvrir d'autres pays différents et d'élargir mes horizons. Je ne veux pas faire comme ma mère qui s'est mariée à l'âge de dix-sept ans et qui a eu trois enfants avant d'avoir vingt-et-un ans. Je veux être plus libre.
Sylvia:	Je ne sais pas ce que je vais faire à l'avenir. Je suis trop jeune pour décider. On me dit de suivre mes rêves, mais j'en ai beaucoup!

Complétez les phrases en écrivant la bonne lettre dans la case.

(a) Marianne veut devenir …

A	médecin.
B	infirmière.
C	actrice.

(1 mark)

(b) Marianne …

A	aimerait être contente.
B	voudrait être riche.
C	voudrait voyager.

(1 mark)

(c) Paulette va aller …

A	aux États-Unis.
B	en Espagne.
C	à l'université.

(1 mark)

(d) Paulette ne va pas …

A	faire comme sa mère.
B	découvrir d'autres pays.
C	voyager beaucoup.

(1 mark)

(e) Paulette voudrait …

A	se marier avant l'âge de 21 ans.
B	avoir trois enfants.
C	avoir plus de liberté.

(1 mark)

(f) Sylvia …

A	sait ce qu'elle va faire à l'avenir.
B	est très âgée.
C	a plein de rêves.

(1 mark)

Revision Guide
Page 66
Comparing
schools

Reading skills

Work out the meaning
of the sentences before
you try to fill each gap.
Use your grammatical
knowledge to eliminate
possible answers.

 Une école différente

8   Amadou vous a écrit un e-mail au sujet de son collège.

Lisez l'e-mail et complétez le texte avec les mots de la liste ci-dessous.

Écrivez la bonne lettre dans chaque case.

> ✉
>
> J'habite au Sénégal et mon collège est très ☐ car il y a plus de
> deux mille élèves. On commence très ☐, à six heures et demie,
> et les cours finissent à quatorze heures. Je vais au collège à vélo.
> Dans ma ☐ d'anglais nous sommes quarante et tous les élèves
> pensent qu'apprendre au moins deux ☐ est vraiment important.
> Nous n'avons pas beaucoup d'installations mais un lycée en France
> nous a donné plusieurs ordinateurs et je trouve ça génial. Nous
> avons un terrain de sport où on fait du sport, surtout du foot.
> Malheureusement il n'y a pas de ☐.

A	grand
B	petit
C	tôt
D	classe
E	langues
F	piscine
G	professeurs
H	informatique

(5 marks)

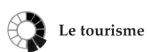 **Le tourisme**

9 Lisez ces petites annonces sur un site Internet touristique.

Rouen:	Festival international de musique du 11 au 14 août. Entrée gratuite.
Lyon:	Festival d'art contemporain au musée Gaillard du 1er au 30 juin. Entrée 5 euros, réductions pour les groupes.
Nancy:	Festival de l'humour. Sketchs et blagues tous les soirs du 15 au 20 juillet. 12 euros.
Biarritz:	Démonstrations de planche à voile du 4 au 7 septembre à partir de 11h. Location de planche 20 euros.

Quel festival recommandez-vous à ces personnes?

A	Rouen
B	Lyon
C	Nancy
D	Biarritz

Écrivez la bonne lettre dans chaque case. **Attention!** Vous pouvez utiliser la même lettre plus d'une fois.

(a) Une personne qui aime la musique.

☐   **(1 mark)**

(b) Une personne qui veut faire du sport nautique.

☐   **(1 mark)**

(c) Une personne qui adore rire.

☐   **(1 mark)**

(d) Une personne qui n'a pas d'argent.

☐   **(1 mark)**

(e) Une personne qui aime regarder des peintures.

☐   **(1 mark)**

(f) Une personne qui a besoin de louer un équipement.

☐   **(1 mark)**

Revision Guide
Page 27
Festivals

Reading skills

Take care when there are lots of numbers and focus on what the question asks.

Hint

The questions do not come in order in questions like this so be careful and look back at the text as a whole.

Hint

Be careful with false friends such as location – it does not mean 'location' in English.

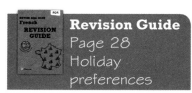

Revision Guide
Page 28
Holiday
preferences

Reading skills

Translate carefully, sentence by sentence. You need to translate every word, but that doesn't always mean writing down the English equivalent of each French word one by one. Sometimes French uses different word order or words have different meanings depending on the sentence.

Hint

Take care with tenses – look at **je suis allé**, **il a fait** and **c'était** and remember that they all refer to **l'année dernière**.

En will not mean 'in' here, so be careful.

Faisons is part of **faire** but it won't be translated as 'do' here.

Remember, **nous** = we.

Don't forget to translate little words like **assez**.

Make sure that you don't write something in English which does not make sense, for example, 'we make camping'.

Section C

Translation into **English**

10   Your French friend has sent you this message. Your brother asks you to translate it into **English** for him.

> J'aime aller en vacances. D'habitude je vais en Angleterre avec mes parents. Nous faisons du camping parce que nous aimons le plein air. L'année dernière je suis allé au bord de la mer en Écosse. C'était formidable mais il a fait assez froid.

....

....

....

....

....

....

....

....

....

(9 marks)

Set B Writing Foundation practice paper
Time allowed: 1 hour

The maximum mark for this paper is 50.
Answer all questions in **French**

Un tournoi sportif

1   Vous envoyez une photo à votre ami(e) français(e).

Qu'est-ce qu'il y a sur la photo? Écrivez **quatre** phrases en **français**.

1 .... **(2 marks)**

2 .... **(2 marks)**

3 .... **(2 marks)**

4 .... **(2 marks)**

Revision Guide
Page 22 Sport

Writing skills

Keep your answers
simple as there
are only marks for
communication here.
There is no need
to extend your
answers – keep it brief
and accurate, using
language that you are
sure of.

Revision Guide
Page 21 Music

Vocab hint

Remember to use **jouer de** when talking about playing a musical instrument.

Writing skills

You will not need to develop your answers much as there is no room for this in 40 words, but make sure that you cover all four bullet points. You could try to link sentences using **parce que, mais, et** and **car**, for example, as this will be useful for later tasks. You need to communicate the bullet points clearly using a variety of vocabulary and structures.

Un festival de musique

2   Vous envoyez un e-mail à votre ami(e) français(e) sur un festival de musique en Suisse.

Mentionnez:

- votre instrument de musique préféré
- ce que vous faites au festival
- la musique que vous aimez
- pourquoi vous voulez aller en Suisse.

Écrivez environ **40** mots en **français**.

....

....

....

....

....

....

....

....

....

....

....

....

....

....

(16 marks)

Ma région

3 Translate the following sentences into **French**.

(a) I like my town.

....

....

(b) There are lots of shops.

....

....

(c) The sports centre is new.

....

....

(d) I don't like visiting the museum.

....

....

(e) Yesterday I went to the castle and it was interesting.

....

....

(10 marks)

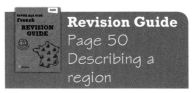

Revision Guide
Page 50
Describing a
region

Hint

Which one of **mon**, **ma** or **mes** do you need for 'my' in sentence (a)?

For sentence (b), remember what follows 'lots of' in French.

Remember to make the adjective agree in sentence (c).

In sentence (d) 'visiting' will be translated as 'to visit' in French.

Remember to use the correct tenses for 'went' and 'was' in sentence (e).

Revision Guide
Page 64
School life

Writing skills

Try to vary your connectives. Remember that car, parce que and puisque are all possible ways of explaining an opinion.

You will need to develop your answers and also refer to three time frames in response to the four bullet points. You do not have to write the same amount on each bullet point, as long as they are all covered.

Answer **either** Question 4.1 **or** Question 4.2.
You must **not** answer **both** of these questions.

EITHER Question 4.1

Q 4.1

Mon école

Vous décrivez votre vie scolaire pour votre blog.

Décrivez:

- votre opinion sur votre école
- ce que vous avez fait récemment au collège
- votre matière préférée et pourquoi
- vos projets pour votre éducation à l'avenir.

Écrivez environ **90** mots en **français**. Répondez à chaque aspect de la question.

....
....
....
....
....
....
....
....
....
....
....
....
....
....
....
....
....

(16 marks)

OR Question 4.2

Q 4.2

Les vacances

Vous décrivez les vacances pour votre blog.

Décrivez:

- ce que vous aimez faire en vacances
- où vous avez passé vos vacances l'année dernière
- pourquoi les vacances sont importantes
- vos projets de vacances pour l'année prochaine.

Écrivez environ **90** mots en **français**. Répondez à chaque aspect de la question.

....
....
....
....
....
....
....
....
....
....
....
....
....
....
....
....
....
....
....
....
....

(16 marks)

Revision Guide
Page 28
Holiday
preferences

Grammar hint

Remember that some verbs of motion such as aller, arriver and sortir use être as their auxiliary verb in the perfect tense – the past participle must agree with the subject of the verb in these cases. This might be useful for some aspects of the second bullet point (je suis allé(e) – I went, etc.). See pages 100 and 101 of the Revision Guide for more on the perfect tense.

Revision Guide
Page 26
Celebrations

Listening skills

At Higher tier you
will often be asked to
listen for more than
one answer in each
extract. Just keep
concentrating right
to the end of each
section!

Set B Listening Higher practice paper
Time allowed: 45 minutes
(including 5 minutes' reading time before the test)

The maximum mark for this paper is 50.
Section A
Questions and answers in **English**

 Christmas celebrations

1   Your exchange partner's friends are talking about Christmas.
    Complete the sentences by choosing the correct answer. Write the
    letter in the box.

Part 1

(a) Alice spends Christmas Eve …

A	with her mother.
B	with her father.
C	with both her parents.

☐ **(1 mark)**

(b) She is …

A	always happy at Christmas.
B	fed up because she doesn't get enough presents.
C	sad even though she gets lots of presents.

☐ **(1 mark)**

Part 2

(a) Yannick used to …

A	look forward to Christmas.
B	go to a shopping centre to buy presents.
C	attend a church service.

☐ **(1 mark)**

(b) He doesn't like …

A	getting presents associated with technology.
B	the fact that people always want the latest models of technological devices.
C	not seeing his friends at Christmas.

☐ **(1 mark)**

Environmental issues

Revision Guide
Page 60
Environmental
issues

2 You listen to Pauline, your French exchange partner, discussing the environment with her brother.

Choose **four** sentences which are **true** and write the correct letters in the boxes.

A	Pauline thinks global warming is threatening animals with extinction.
B	Her brother believes that global warming is the biggest environmental issue.
C	Pauline thinks that people are selfish.
D	She believes that lots has been done to help animals in danger.
E	Her brother mentions droughts in some countries.
F	He is not concerned about rising sea levels.
G	Pauline mentions islands which are under threat.
H	Pauline mentions deforestation.

☐ ☐ ☐ ☐ **(4 marks)**

Listening skills

Remember that in this type of activity, it can help to cross off items that you know are not true to help you focus your attention on the possible correct answers.

Take a good look at the possible answers as this might help you recognise the words you hear.

If you hear a word you don't know, think around the problem. For example, if you have forgotten or do not know **le déboisement**, think about if you recognise the stem of the word **bois**. Putting **dé** on the front of the word often means 'to reverse' or 'to remove' (as in English), for example **déconstruire**, **détacher**. So what could **déboisement** mean (remember the context of 'Environmental issues')?

Revision Guide
Page 31
Accommodation

Listening skills

In questions at Higher tier, you may have to work out some answers by interpreting what has been said.

Revision Guide
Page 8
Peer group

Listening skills

Remember that you do not need to answer in complete sentences – you may not have time to do that.

Hint

Be careful to read the question accurately and listen for the appropriate answer. The boy says that he is addicted but that is not the reason he **started** smoking.

 Holiday accommodation

3   While staying with friends in France, you hear a radio phone-in programme on holiday accommodation.
For each call, give **one** positive and **one** negative aspect of the accommodation mentioned.

Person	Positive	Negative
Annick		
Robin		
Lucie		

(6 marks)

 Smoking

4   In your Canadian friend's lesson the teacher is discussing smoking with the class.
Listen to what is said, then answer the questions in **English**.

(a) When did the teacher start smoking?

.... **(1 mark)**

(b) Why did she start?

.... **(1 mark)**

(c) What did the girl's parents do to stop her smoking?

.... **(1 mark)**

(d) What does she particularly dislike?

.... **(1 mark)**

(e) When did the boy start smoking?

.... **(1 mark)**

(f) Why did he start?

....
.... **(1 mark)**

Social networks

5   You hear a news programme about problems with social network sites.
Complete the sentences by choosing the correct answer. Write the letter in the box.

Part 1

(a) The man lost …

A	all his possessions.
B	his log-in details.
C	his money when his holiday was cancelled.

[   ]

(1 mark)

Part 2

(b) The woman was silly to …

A	discuss animal testing online.
B	criticise her boss online.
C	advertise a watch online.

[   ]

(1 mark)

(c) She …

A	lost her job.
B	advertised tickets for shows.
C	sent inappropriate emails.

[   ]

(1 mark)

Part 3

(d) The boy …

A	has lots of friends.
B	hopes to make friends online.
C	is going to subscribe to a new social network site.

[   ]

(1 mark)

Revision Guide
Page 16
Social media

Hint

With topics such as social media, don't allow your own experiences to affect what you hear – work with the language you understand and don't make assumptions when choosing the answers.

Revision Guide
Page 63
School subjects

Hint

Julie doesn't actually give a reason why she chose English – you have to work it out.

Listening skills

At Higher tier, the answer to the question is not always obvious. Read the questions before the recording starts so you know roughly what to expect.

Then listen to the sense of the whole section of the recording. Write brief notes if you hear the answer to the question so that you can keep listening.

Don't worry if you don't hear an exact translation of what is said in the question – remember that at Higher tier you often have to work out what is meant.

Hint

Listen for signs that there is a change to an opposite point of view.

 Choosing subjects

6   You are listening to your Swiss friends discussing the subjects they chose to study.

Answer the questions in **English**.

(a) Why did Julie choose English?

.... **(1 mark)**

(b) Why has her decision been a good one?

.... **(1 mark)**

(c) Why did Manon choose physics?

....

.... **(1 mark)**

(d) Why has this turned out badly for her?

.... **(1 mark)**

(e) Why was Lopez considering studying Portuguese?
    Give **one** detail.

.... **(1 mark)**

(f) Why did he decide not to?

.... **(1 mark)**

 Weather problems

7   You are listening to a report on French radio about weather problems in Mauritius.

Choose **four** sentences which are **true** and write the correct letters in the boxes.

A	Wind has caused major disruption to the island.
B	Coastal towns have been mainly affected by the problems.
C	There is no access to the airport.
D	Help is finally getting through from abroad.
E	Many houses have been destroyed.
F	Many people have died on the island.
G	It is raining heavily on the island now.
H	Charities have warned people about conditions on the island.

☐ ☐ ☐ ☐   **(4 marks)**

 Film reviews

8   You hear this podcast about a film.

What did each person think of the film?

Write **P** for a positive opinion.

    N for a negative opinion.

    P + N for a positive **and** negative opinion.

(a) ☐

(b) ☐

(c) ☐

(d) ☐   **(4 marks)**

Hint

It is vital that you understand key ideas, so try to use what you know to make an informed guess at what you do not understand!

Hint

Listen to everything carefully as you might hear something that will help you work out the answer. For example, if you forget what **les inondations** means, you might think of a similar English word that might help. Also, you will hear later in the passage that **la pluie ne tombe plus** – so what could the problem have been?

Hint

Listen for words which might introduce conflicting opinions such as **mais**, **cependant**, **pourtant**, **malgré** or **sauf**.

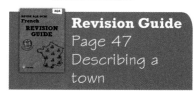

Revision Guide
Page 47
Describing a
town

Hint

Make time in your
preparation period to
work out what each of
the alternatives means.

Hint

Don't forget to learn
all the forms of the
negative – these
forms will completely
change the meaning of
sentences! See page
106 of the Revision
Guide to help you.

Listening skills

Remember that the
questions are in French
in this section, so the
answers need to be in
French too.

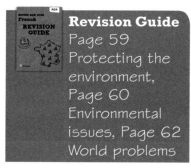

Revision Guide
Page 59
Protecting the
environment,
Page 60
Environmental
issues, Page 62
World problems

Hint

In questions like this,
try to make your
answers as brief as
possible. Trying to
recall and copy out long
chunks of the extract
may lead to mistakes.

Section B
Questions and answers in **French**

 Ma ville

9 Écoutez ce reportage sur les villes de France. Florence parle de sa ville.

Choisissez **quatre** phrases qui sont **vraies** et écrivez les bonnes lettres dans les cases.

A	Sa ville est sale.
B	Il y a moins de magasins dans le centre-ville.
C	Beaucoup de jeunes sont sans emploi.
D	Florence habite au centre-ville.
E	Les transports en commun ne sont pas bons.
F	Il y a un bus toutes les dix minutes de chez Florence vers la ville.
G	Il y a trop de circulation au centre-ville.
H	On a créé une zone piétonne récemment.

☐ ☐ ☐ ☐   **(4 marks)**

 Être solidaire

10 Vous écoutez des amis, Sophie et Vincent, qui parlent des problèmes mondiaux.
Complétez les phrases suivantes en **français**.
Répondez aux deux aspects de la question.

Première partie

(a) Sophie a déjà essayé d'aider les …

…………………………………………………………………… **(1 mark)**

(b) Elle va bientôt faire …

…………………………………………………………………… **(1 mark)**

Deuxième partie

(c) Vincent va aider les …

…………………………………………………………………… **(1 mark)**

(d) Il est fier de …

…………………………………………………………………… **(1 mark)**

Le travail

11 Dans un café à Rouen, vous entendez quatre personnes parler du travail.

A	Je voudrais travailler à l'étranger.
B	J'irai bientôt à la fac.
C	Je ne voudrais pas travailler à l'office de tourisme.
D	Je suis sans emploi.
E	Je viens de trouver un emploi.
F	Je suis content de mon emploi.
G	J'ai déjà travaillé à l'étranger.
H	Je vais devenir docteur.

Pour chaque personne, choisissez la bonne phrase et écrivez la lettre dans la case.

(a) ☐

(b) ☐

(c) ☐

(d) ☐

(4 marks)

Revision Guide
Page 74
Future plans,
Page 83 Future
professions

Hint

You need to find suitable synonyms to help you but do not simply listen for a word in the recording and match it to the same one in the questions. Instead, listen to the word in the context of the sentence to make sure that it has the same sense as the phrase in the box.

Vocab hint

rater les examens
to fail one's exams

réussir aux examens
to pass one's exams

passer les examens
to take one's exams

Careful – **passer les examens** doesn't mean 'to pass one's exams'!

Hint

The photo card will last about 3 minutes and the general conversation will last 5–7 minutes.

Revision Guide
Page 40
Asking for help

Speaking skills

If you are asked for an opinion, be brief. There are no extra marks for giving reasons or adding details in a role-play and you might make errors.

Set B Speaking Higher practice paper

Time allowed: 7–9 minutes
(+12 minutes' supervised preparation time)

Role-play: Tourist office

Instructions to candidates

Your teacher will play the part of the tourist office employee and will speak first. You should address the employee as *vous*.

Where you see this – **!** – you will have to respond to something you have not prepared.

Where you see this – **?** – you will have to ask a question.

Vous parlez avec un(e) employé(e) dans un office du tourisme en France.

- Logement – où en ce moment (**un** détail).
- **?** Les transports en commun.
- Activités demain (**deux** détails).
- Visite – hier (**deux** détails).
- **!**

Prepare your answer in this space, using the prompts above. Then play the audio file of the teacher's part and speak your answer in the pauses. You can find a full sample answer of another student's response in the answer section.

Photo card: Celebrations

Listen to the recording

- Look at the photo during the preparation period.
- Make any notes you wish to on an Additional Answer Sheet.
- Your teacher will then ask you questions about the photo and about topics related to **celebrations**.

Your teacher will ask you the following three questions and then **two more questions** which you have not prepared.

- Qu'est-ce qu'il y a sur la photo?
- Est-ce que tu es allé(e) à un mariage récemment?
- Est-il important d'avoir une fête nationale? Pourquoi/pourquoi pas?

Prepare your answer in this space, using the prompts above. Then play the audio file of the teacher's part and speak your answer in the pauses. You can find a full sample answer of another student's response in the answer section.

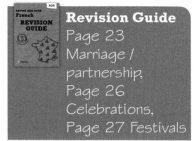

Revision Guide
Page 23 Marriage / partnership,
Page 26 Celebrations,
Page 27 Festivals

Hint

Remember, you are not allowed a dictionary at any point during the exam – even in the preparation time. However, using a dictionary during revision can be useful to help you revise your vocabulary.

Revision Guide

Page 7 When I was younger, Page 64 School life, Page 71 Success at school, Page 73 Exchanges, Page 77 Jobs

Speaking skills

Remember to develop your answers when you can. The conversation will require you to speak spontaneously, but in the exam you can nominate the first theme, so make sure you choose wisely.

Hint

Remember the answers that are given in the answer section are just samples to give you ideas. Your answers will be different – but can be just as good!

General conversation

 SPEAKING TRACK 58

 Listen to the recording

1 Qu'est-ce que tes parents font dans la vie?
2 Quel est ton travail idéal? Pourquoi?
3 Quel travail est-ce que tu voulais faire quand tu étais plus jeune?
4 Quels sont tes plus grands accomplissements au collège?
5 Que penses-tu des échanges scolaires?
6 Tu fais partie d'un club au collège?

Prepare your answer in this space, using the prompts above. Then play the audio file of the teacher's part and speak your answer in the pauses. You can find a full sample answer of another student's response in the answer section.

Set B Reading Higher practice paper
Time allowed: 1 hour
The maximum mark for this paper is 60.

Section A
Questions and answers in **English**

 Using the internet

1   A newspaper has published the results of an online survey about using the internet in France. Read the summary of the results.

 **Revision Guide**
Page 17
Technology

> Nous avons demandé aux ados: «Pourquoi est-ce que vous utilisez Internet?»
>
> Les réponses qu'on a reçues étaient intéressantes.
>
> • 95% des jeunes utilisent Internet tous les jours.
>
> • La majorité, c'est-à-dire cinquante-neuf pour cent, utilise Internet afin de faire des jeux. Certains y sont accros.
>
> • 50% regardent des clips vidéo, surtout des clips comiques, en ligne.
>
> • 35% tchattent sur des forums.
>
> • 30% téléchargent des chansons.
>
> • 25% font des recherches scolaires en ligne, mais on dit qu'ils acceptent trop facilement ce qu'on y met comme étant la vérité.
>
> • Moins de 5% disent qu'ils utilisent Internet pour se faire de nouveaux amis.

Grammar hint

Remember that **y** is a pronoun which replaces **à** + a word – it can mean 'there' or 'to / at it' and it comes **before** the verb.

Hint

Most numbers will be in figures but one is written in words here!

What percentage of people use the internet for the following reasons?
Complete the boxes.

(a) To help with school work ☐ %   **(1 mark)**

(b) To play games ☐ %   **(1 mark)**

(c) To download music ☐ %   **(1 mark)**

(d) What is the least popular reason? Answer in **English**.

.... **(1 mark)**

Revision Guide
Page 74
Future plans

Hint

Don't let your own worries and experiences influence your answers – read the text carefully.

Vocab hint

Suzanne gives two ways in which she believes the gap year will help her, so don't worry that one of these options isn't 'become more confident' – there is another!

 Future plans

2   You read this blog by Suzanne on a Belgian website.

> Je vais prendre une année sabbatique. J'ai enfin pris la décision après y avoir longtemps pensé. Ce sera une expérience à la fois divertissante et enrichissante, ce qui me donnera plein de confiance et aussi je deviendrai plus autonome.
>
> Ayant fini mon année à l'étranger, peut-être en Afrique, je serai sans doute prête à recommencer mes études. J'ai des inquiétudes, c'est vrai. Par exemple serai-je un peu isolée ou même aurai-je peur? Qui sait? Pourtant, je sais que je vais passer une année stimulante avant de travailler dur à la fac.

Choose the correct answer to complete each sentence and write the letter in the box.

(a) Suzanne's decision to take a gap year was …

A	easy to make.
B	a difficult one.
C	influenced by her friends.

(1 mark)

(b) She thinks that taking a gap year will help her …

A	be more independent.
B	be more intelligent.
C	earn more money.

(1 mark)

(c) She feels that after her gap year she will …

A	find university difficult.
B	be unprepared for studying again.
C	be ready to study again.

(1 mark)

(d) She worries about …

A	being lonely.
B	making mistakes.
C	getting lost.

(1 mark)

A nightmare holiday

3 You read this blog about Millie's disastrous holiday in London.

 **Revision Guide**
Page 36
Holiday
experiences

> Le jour du départ, l'aéroport de Montréal était entouré d'un brouillard épais et notre vol a été retardé, ce qui m'a vraiment énervée.
>
> J'ai trouvé le vol difficile car j'ai le mal de l'air, alors je n'ai rien mangé et le vol était tellement long!
>
> Enfin arrivés à Londres, on a eu du mal à trouver une voiture à louer car il y avait une grève. Mon père était de mauvaise humeur pendant le trajet en taxi de l'aéroport.
>
> Pour comble de malchance, nos chambres d'hôtel étaient sales, avec des poils de chien partout, même si les repas au restaurant étaient délicieux et pas trop épicés.
>
> Je vais retourner à Londres le mois prochain avec mon équipe de tennis. J'espère que tout ira mieux!

Hint

Take care not to confuse the problem and the reason.

Complete the grid below **in English** to indicate what the problems were and why.

	Problem	Reason
(a) **At the airport**		
(b) **On the flight**		
(c) **At the London airport**		
(d) **At the hotel**		

(8 marks)

Revision Guide
Page 58
Being green

Reading skills

Some of the language used in newspaper or magazine articles can be more formal or unusual, so get used to this by practising in class and at home.

Hint

With a longer, more complex text, try reading it through once and then reading all the questions. The questions may give you some hints to help you understand parts of the text on your second reading.

Reading all the questions through in one go may also help you to answer the questions correctly. For example, it will help you to ensure that you don't give the answer to question (b) as part of the answer to question (a)!

 Being green

4 While on holiday in France you read this magazine article.

> Il est vraiment facile d'être plus écolo!
>
> De nos jours, tout le monde parle de choses qui ne sont pas du tout concrètes comme le changement climatique, le réchauffement de la Terre ou l'empreinte carbone. La vérité, c'est que les gestes de toute la population menacent notre monde, mais il ne faut pas s'inquiéter car il existe toute une liste de choses qu'on peut faire afin de protéger la planète.
>
> Premièrement, un geste qui aide l'environnement mais aussi économise de l'argent, c'est réduire la consommation d'énergie. Eteignez la lumière en quittant une pièce et baissez le chauffage. Pour économiser de l'eau, essayez de toujours arroser les fleurs et les plantes du jardin avec l'eau de rinçage des légumes!
>
> Un autre problème grave c'est les déchets. Au supermarché, n'achetez pas les produits trop emballés et respectez la nature, par exemple ne jetez jamais des papiers par terre.
>
> De plus, choisissez plutôt les transports en commun au lieu de prendre la voiture et surtout, sensibilisez les jeunes en leur montrant le bon exemple, car il faut qu'à l'avenir ils fassent aussi un effort pour sauver notre planète!

Answer the questions in **English**.

(a) How does the author describe the environmental problems we talk about?

.... **(1 mark)**

(b) Give one example of an environmental problem the author mentions.

....

.... **(1 mark)**

(c) What benefit does the author say you could gain from saving energy?

.... **(1 mark)**

(d) What tip is given for saving water?

.... **(1 mark)**

(e) What should you not buy at the supermarket, according to the article?

.... **(1 mark)**

(f) What example is mentioned in relation to respecting nature?

.... **(1 mark)**

(g) How can you make an ecological gesture in terms of transport?

.... **(1 mark)**

(h) What is the main tip given at the end of the article?

.... **(1 mark)**

Relationships

Set B
Reading
Higher

Revision Guide
Page 6
Relationships

5 Read these posts by two students from your partner school in France. They are talking about their opinions on relationships.

> Si on reste célibataire, on a plus de liberté. Avant de fonder une famille, je crois prudent de se marier car les recherches sociologiques nous ont montré que le mariage permet à tous d'avoir des rapports plus solides. Moi, je choisirai de me marier un jour, mais puisque ma famille est traditionnelle, on fera ça à l'église afin de lui faire plaisir. En revanche, je ne voudrais pas la responsabilité d'avoir des enfants.
>
> **Lucas**

(a) Which **two** statements are true? Write the letters in the boxes.

A	Lucas is going to remain single as it will give him more freedom.
B	He thinks that marriage creates more stable relationships.
C	He comes from a big family.
D	He wants to please his family.
E	He plans to have children.

☐ ☐

(2 marks)

> Quand on se met en couple, on veut tout simplement vivre ensemble, alors pourquoi se marier ? Je pense qu'on peut vivre en concubinage et être content et fidèle. Il ne faut pas se marier juste pour montrer son amour à tout le monde. En ce moment, je n'ai pas de petit ami et je suis libre de sortir avec n'importe qui, mais à l'avenir, si je trouve un partenaire sympa, je préférerais vivre en concubinage. Selon moi, c'est la façon dont je pourrais lui exprimer mon amour sans avoir besoin de sécurité supplémentaire pour pouvoir être heureuse.
>
> **Magali**

(b) Which **two** statements are true? Write the letters in the boxes.

A	Magali thinks marriage is important for everyone.
B	She says that being faithful is best achieved through marriage.
C	She says that you shouldn't get married just to show your love for a partner to everyone.
D	She does not have a boyfriend at present.
E	She thinks that the extra security of marriage brings happiness.

☐ ☐

(2 marks)

Hint

Look out for negatives and remember that in questions like this, the statements do not necessarily come in the order that they appear in the text.

Hint

Don't forget to cross off the statements that you know are incorrect as this will help you to find the correct answers.

Vocab hint

sans avoir besoin without needing to

Structures like this are different in French – make a note of them when you see them as they will help you with your understanding and translation.

Revision Guide
Page 1 Physical descriptions

Hint

Use the questions to help you. You might not know the French for 'disinherit' but you can work it out now you know what you are looking for. The word 'why' means that you are looking for a reason – and the clue in the text (**afin de** – in order to) will signpost where you can look for the answer.

Reading skills

Take care not to spend too long on the more difficult questions in the exam. Look at the number of marks for each question and make sure you do the ones you can first.

If you cannot work out an answer, then make an educated guess rather than leave a blank.

Hint

You will not need to know every word in a passage like this. Make sure you look out for words which are glossed – meanings will be given at the end of the passage.

 A complicated young woman

6   Read this extract from *Le père Goriot* by Honoré de Balzac. Answer the questions in **English**.

> Victorine est entrée dans le vestibule. Elle était très mince aux cheveux blonds. Ses yeux gris mélangés de noir étaient à la fois tristes et doux. Ses vêtements peu coûteux trahissaient des formes jeunes. Heureuse, elle aurait été ravissante et elle aurait pu lutter avec les plus belles jeunes filles. Il lui manquait ce qui crée la vraie beauté - elle n'était ni timide ni confiante. Son père croyait avoir des raisons pour ne pas la reconnaître, refusait de la garder près de lui, ne lui accordait que six cents francs par an, et avait dénaturé sa fortune, car il voulait la donner en entier à son fils. Parente éloignée de la mère de Victorine, qui jadis* était venue mourir de désespoir chez elle, Madame Couture, la propriétaire de pensionnat où elle vivait, prenait soin de l'orpheline comme de son enfant.
>
> *jadis = in the past

(Adapted and abridged from *Le père Goriot* by Honoré de Balzac)

(a) What contradiction could be seen in Victorine's eyes?

.... **(1 mark)**

(b) What does the author say about her clothes?

.... **(1 mark)**

(c) What would make Victorine into a real beauty, according to the author? Give **two** details.

....

.... **(2 marks)**

(d) Why had her father disinherited her?

.... **(1 mark)**

(e) What had happened to her mother?

.... **(1 mark)**

(f) What role had Madame Couture taken in her life?

.... **(1 mark)**

 Films

7 Read what these two people say in a forum about films. Identify the people.

Write **A** (Alice)

   B (Bernard)

   A + B (Alice + Bernard)

Alice	Je préfère regarder des films chez moi car c'est plus pratique. On peut y être plus à l'aise et faire ce qu'on veut.
Bernard	Moi j'aime mieux ne pas sortir au ciné. Le grand écran me ne dit rien. Par contre, à la maison on peut bien se marrer avec ses copains.

1   Who prefers watching films at home? ☐   **(1 mark)**

Alice	Moi, je me passionne pour les films d'arts martiaux mais je ne supporte pas les films d'épouvante. La semaine dernière, on est allés au ciné regarder le film *Chasse à l'homme* et c'était très bien.
Bernard	Les films romantiques sont abominables, mais j'aime bien les films comiques. Dimanche je vais aller au ciné revoir *Le dîner de cons*.

2   Who will soon be going to the cinema? ☐   **(1 mark)**

Alice	Selon moi, un film devrait divertir plutôt qu'informer. Je veux tout simplement m'échapper de la vie de tous les jours en regardant n'importe quel film.
Bernard	Moi, j'aime bien les films qui vous font penser, alors j'adore les films de Buñuel car ils sont pleins de subtilité.

3   Who likes to forget daily problems when watching
    a film? ☐   **(1 mark)**

Revision Guide
Page 24 Films

Hint

In the texts, look out for different ways of expressing what is mentioned in the questions.

Revision Guide
Page 69
Problems and
pressures

Section B
Questions and answers in **French**

 Le stress à l'école

8   Vous lisez un article sur le stress dans un magazine belge.

Le contrôle du stress

Il faut d'abord savoir que nous vivons tous un stress généré par nos conditions de vie. Il existe donc en nous, au départ, un certain niveau de stress. Le stress de l'examen ne fait que s'ajouter au stress déjà existant.

En d'autres termes, selon ce qui vous arrive dans la vie, vous vous présentez à un examen avec un niveau de stress initial déjà plus ou moins élevé. Plus celui-ci est élevé, plus il sera facile de dépasser le niveau critique de stress.

Il n'y a pas de mauvaises méthodes pour se détendre. Avant un examen, on devrait avoir assez de sommeil la veille et on pourrait faire de l'exercice physique ou même passer quelques bons moments en famille.

Il peut être efficace de prendre quelques minutes pendant un examen pour vous rappeler un moment agréable que vous avez vécu, un moment de détente où vous vous sentiez particulièrement bien. Commencez par retrouver les images de ce souvenir au moment précis où vous vous sentiez bien; en d'autres termes, revoyez l'endroit où vous étiez. Puis pensez aux bruits, aux sons associés à ce souvenir; enfin, retrouvez les autres sensations (détente, bien-être) que vous viviez à ce moment-là.

Hint

Look for ways of expressing the ideas in the passage in your own words and make sure that you answer the questions correctly. It is fine to reuse some of the words and phrases from the text but they must be relevant to the question.

Répondez aux questions en **français**.

(a)   Selon l'article, qu'est-ce qui cause le stress?

.... **(1 mark)**

(b)   Que faut-il faire la veille d'un examen?

.... **(1 mark)**

(c)   Que pourrait-on aussi faire avant un examen pour se détendre? Donnez **deux** détails.

....

.... **(2 marks)**

(d) Qu'est-ce qu'on propose de faire pendant un examen?

.... **(1 mark)**

(e) Pourquoi est-ce qu'on fait référence au bruit?

.... **(1 mark)**

 Faire du bénévolat

9 Lisez ce texte sur le travail bénévole.
Complétez le texte avec les mots de la liste ci-dessous.
Écrivez la bonne lettre dans chaque case.

> Si on veut faire une différence, on peut ☐ à faire du bénévolat
>
> pour une association ☐ comme Oxfam. On demande toujours
>
> des bénévoles qui ☐ dans ses magasins dans presque chaque
>
> ville. C'est une ☐ facile d'aider ceux qui n'ont pas grand-chose.

(4 marks)

A	caritative
B	personne
C	commencer
D	façon
E	compréhensif
F	travaillent
G	décider
H	achètent

Revision Guide
Page 51
Volunteering

Hint

Make sure that you choose a word which fits grammatically and sensibly. For example, the word in the final box must be a noun as it follows **une**.

Revision Guide
Page 55
Healthy
lifestyles

Grammar hint

The conditional translates the English 'would do something'. To form it, you take the stem of the future tense and add the imperfect tense endings: e.g. j'irais – I would go.

Hint

Look for precise details in the text, as some of the answer options might be partially correct.

 Être en forme en janvier

10 Vous lisez ce blog de Polly sur la santé.

> Il vaudrait mieux ne pas boire d'alcool car c'est une drogue et il est très facile d'y devenir accro. Après avoir fêté Noël, on devrait se désintoxiquer. Il faudrait aussi qu'on retourne à la salle de sport afin de retrouver la forme, mais faites attention à ne pas faire trop d'exercice au début.
>
> Pourquoi ne pas suivre un régime? Consommez moins de sucreries et plus de nourriture bio comme des légumes de saison. Comme ça, on perdra du poids et on se sentira mieux!

Écrivez la bonne lettre dans la case.

(a) Polly dit qu'en janvier, il vaut mieux …

A	éviter la drogue.
B	éviter le vin et la bière.
C	éviter le tabac.

(1 mark)

(b) Elle dit que pour commencer, il faut …

A	faire beaucoup d'exercice physique.
B	faire de la musculation tous les jours.
C	faire un peu d'exercice.

(1 mark)

(c) Selon elle, on doit …

A	prendre du poids.
B	manger plus de sucre.
C	consommer plus de légumes.

(1 mark)

Section C
Translation into **English**

11 Your brother has seen this post on Facebook and asks you to translate it for him into **English**.

> Mes copains vont souvent à la patinoire dans la ville voisine. Il est embêtant de ne pas en avoir une près de chez nous. On vient de faire bâtir un nouveau centre commercial, mais à mon avis, il vaudrait mieux qu'on construise un centre sportif car il n'y a rien à faire ici si on est jeune.

....

....

....

....

....

....

....

....

....

....

....

....

....

....

....

....

....

....

....

....

....

....

....

(9 marks)

Revision Guide
Page 47
Describing a town

Hint

Be careful with specific items of vocabulary and try not to leave any gaps if you don't know a word – an informed guess is better. Here, if you did not know **patinoire**, you could guess it must be a place by looking at the rest of the sentence.

Set B Writing Higher practice paper

Time allowed: 1 hour 15 minutes

The maximum mark for this paper is 60.
Answer all questions in **French**

Answer **either** Question 1.1 **or** Question 1.2.
You must **not** answer **both** of these questions.

EITHER Question 1.1

Q 1.1

Le temps libre

Vous décrivez votre temps libre pour votre blog.
Décrivez:

- vos émissions préférées à la télé
- ce que vous n'aimez pas faire et pourquoi
- une activité récente
- un nouveau passe-temps que vous aimeriez essayer et pourquoi.

Écrivez environ **90** mots en **français**. Répondez à chaque aspect de la question.

....
....
....
....
....
....
....
....
....
....
....
....
....
....
....
....

(16 marks)

Revision Guide
Page 20
Hobbies,
Page 25 TV

Writing skills

Remember that if there are two aspects to one bullet point (as in the second bullet point here), you must cover them both.

Hint

Remember the basics when you are writing in French for example: aller takes être (not avoir) in the perfect tense.

OR Question 1.2

Q 1.2

La vie d'adolescent

Vous décrivez votre vie d'adolescent pour votre blog.
Décrivez:

- votre personnalité
- ce que vous aimez faire quand vous sortez avec des amis
- un emploi que vous avez eu
- vos projets d'avenir.

Écrivez environ **90** mots en **français**. Répondez à chaque aspect de la question.

Revision Guide
Page 2 Character descriptions,
Page 19 Arranging to go out, Page 22 Sport, Page 24 Films, Page 78 Part-time jobs, Page 84 Future intentions

Hint

Try to include some complex language: for example, **après avoir** + past participle.

....
....
....
....
....
....
....
....
....
....
....
....
....
....
....
....
....
....
....
....
....
....

(16 marks)

Revision Guide
Page 28
Holiday
preferences,
Page 31
Accommodation,
Page 32 Holiday
destinations,
Page 36 Holiday
experiences,
Page 39 Holiday
problems

Writing skills

To display your
knowledge of French,
try to include different
verb forms in different
persons. Nous, on and
il achieve this for this
task (see the sample
answer on page 133).

Answer **either** Question 2.1 **or** Question 2.2.
You must **not** answer **both** of these questions.

EITHER Question 2.1

Q 2.1

Les vacances

Vous écrivez un article sur les vacances pour un magazine français.
Décrivez:

• ce que vous aimez faire en vacances et pourquoi
• des vacances difficiles que vous avez passées.

Écrivez environ **150** mots en **français**. Répondez aux deux aspects
de la question.

....

(32 marks)

OR Question 2.2

Q 2.2

La santé

Vous écrivez un article sur la santé pour un magazine français.
Décrivez:

• pourquoi être en bonne santé est important
• ce que vous ferez à l'avenir pour améliorer votre forme.

Écrivez environ **150** mots en **français**. Répondez aux deux aspects
de la question.

Revision Guide
Page 54 Healthy
eating, Page 55
Healthy lifestyles

Grammar hint

Using constructions
with the infinitive is a
good way to improve
your answers. Try
using **avant de** + the
infinitive, **pouvoir** + the
infinitive and **décider
de** + the infinitive.

....

....

....

....

....

....

....

....

....

....

....

....

....

....

....

....

....

....

....

....

(32 marks)

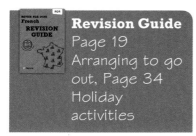

Revision Guide
Page 19
Arranging to go
out, Page 34
Holiday
activities

Grammar hint

Be careful to get the verb forms correct. Here we will need 'I', 'we' and 'he'. Look out for instances where the word order is different. For example, 'a classical music concert' will be a 'concert of music classical' in French.

Q 3

Translation: Le temps libre

Translate the following passage into **French**.

> Last week I went to a classical music concert with my best friend. Her father took us there by car. It was excellent and we had a good time together. Next weekend I intend to go to the seaside with my brother. I will go windsurfing but he prefers to sunbathe near the lake.

....
....
....
....
....
....
....
....
....
....
....
....
....
....
....
....
....
....
....
....
....
....
....

(12 marks)

The answers to the Speaking and Writing activities below are sample answers – there are many ways you could answer these questions.

Set A Listening Foundation practice paper
Time allowed: 35 minutes
(including 5 minutes' reading time before the test)

The maximum mark for this paper is 40.
Section A
Questions and answers in **English**

Hobbies

1   Three people are telling you about their hobbies.

A	Go cycling
B	Watch TV
C	Go swimming
D	Read
E	Play chess
F	Go shopping
G	Go wind surfing

What does each person like to do?
Write the correct letter in each box.

(a) | C | ✔   (1 mark)
(b) | F | ✔   (1 mark)
(c) | D | ✔   (1 mark)

Family relationships

2   Your exchange partner, Malaika, is talking about her family.
Choose the correct answer and write the letter in the box.

(a) Malaika's brother …

A	gets on Malaika's nerves.
B	does nothing to help at home.
C	is older than Malaika.

| A | ✔ (1 mark)

(b) Malaika gets on well with her mother because …

A	she is generous.
B	she allows Malaika a lot of freedom.
C	they like the same things.

| C | ✔ (1 mark)

(c) Malaika says that her dad …

A	is very sporty.
B	is quite strict.
C	makes people laugh.

| C | ✔ (1 mark)

Part-time jobs

3   Your exchange partner and her friends are talking about jobs.
Listen to what they say.

For each person, write in the box a reason why they enjoy their job.

Answer in **English**.

Example:

Person	Reason
Anish	Everyone is in a good mood at the cinema.
(a) Luc	gets on well with boss ✔ (1 mark)
(b) Paul	he can try the sweets ✔ (1 mark)
(c) Isabelle	never boring ✔ (1 mark)

Future plans

4   Your exchange partner is telling you what his friends Alice, Dominique and Katy want to do later in life.

A	Work in IT
B	Get married
C	Have children
D	Become a singer
E	Do voluntary work
F	Go to university
G	Become rich

Which statement goes with each person?
Write the correct letter in the box.

Alice | A | ✔   (1 mark)
Dominique | E | ✔   (1 mark)
Katy | C | ✔   (1 mark)

The internet

5   You are listening to your exchange partner's sister talking about the internet.

Write the answers to the questions in the box in **English**.

Example:

How often does your exchange partner's sister use the internet?	Every day
(a) What does she do from time to time?	download music ✔ (1 mark)
(b) Why does she shop online?	it's easy ✔ (1 mark)
(c) What did she do yesterday online?	did some research for a magazine article ✔ (1 mark)
(d) With whom is she going to speak next weekend?	a friend in Canada ✔ (1 mark)

Helping others

6   During a Skype session with your exchange school, Marc tells you what he does to be helpful.

A	Listens to his friends' problems
B	Volunteers at an animal shelter
C	Gives money to the homeless
D	Does shopping for an old lady
E	Gives blood
F	Walks the neighbour's dog
G	Helps his brother with homework

What **three** things does he say that he does to help others?
Write the correct letters in the boxes.

| C | ✔ | D | ✔ | G | ✔ in any order   (3 marks)

A French town

7   Your French friend, Aline, is telling you about her town.
Choose the correct answer and write the letter in the box.

(a) Aline's house …

A	is quite small.
B	has no garden.
C	is in the town centre.

| B | ✔ (1 mark)

(b) In her town you cannot …

A	go to the cinema.
B	go ice skating.
C	visit a castle.

| B | ✔ (1 mark)

(c) Yesterday she …

A	went out for a meal in town.
B	went shopping in town.
C	went to church in town.

| A | ✔ (1 mark)

(d) In the future she would like to live …

A	abroad.
B	in the mountains.
C	at the seaside.

| A | ✔ (1 mark)

A school exchange

8   You hear your friend, Lucas, talking about a school exchange he has been on.
What did he think of his time there?
Write **P** for a positive opinion.
   N for a negative opinion.
   P+N for a positive **and** negative opinion.

(a) | P | ✔ (1 mark)
(b) | P+N | ✔ (1 mark)
(c) | P | ✔ (1 mark)
(d) | N | ✔ (1 mark)
(e) | P+N | ✔ (1 mark)

Role models

9   You hear this report about role models on French radio.
Listen to the report and answer the questions in **English**.

(a) Why does Gilbert respect his grandfather?
   always smiling ✔ (1 mark)

(b) Where was his grandfather brought up?
   Switzerland ✔ (1 mark)

(c) What does Gilbert hope to do in the future?
   become a doctor (like his grandfather) ✔ (1 mark)

(d) What quality does Gilbert admire in his favourite footballer?
   hard-working ✔ (1 mark)

1

2

3

4

5

6

Section B
Questions and answers in French

 La routine

10 Carole parle de sa routine.
Complétez la phrase avec les bons mots. Écrivez la bonne lettre dans la case.

(a) D'habitude, Carole doit se lever …

A	tard.
B	tôt.
C	avant son frère.

B ✓ **(1 mark)**

(b) Elle n'a pas le temps de … le matin.

A	manger
B	lire
C	se brosser les dents

A ✓ **(1 mark)**

(c) Elle va à l'école …

A	en voiture.
B	à vélo.
C	en car.

C ✓ **(1 mark)**

(d) Carole fait du … une fois par semaine.

A	judo
B	théâtre
C	dessin

B ✓ **(1 mark)**

(e) Le soir, elle n'aime pas …

A	lire.
B	sortir.
C	faire ses devoirs.

C ✓ **(1 mark)**

 Les copains

11 Olivier parle de ses copains.
Choisissez **trois** phrases qui sont **vraies** et écrivez les bonnes lettres dans les cases.

A	Marcus est actif.
B	Yann est paresseux.
C	Hélio fait trop de bruit en classe.
D	Jules est amusant.
E	André est très intelligent.
F	Victor est en bonne forme.
G	Victor est toujours malade.

A ✓ D ✓ F ✓ *in any order* **(3 marks)**

Set A Speaking Foundation practice paper

Time allowed: 7–9 minutes
(+12 minutes' supervised preparation time)

Role-play: Hotels

Instructions to candidates

Your teacher will play the part of the receptionist at a hotel in France and will speak first. You should address the receptionist as *vous*.

When you see this – ! – you will have to respond to something you have not prepared.

When you see this – ? – you will have to ask a question.

> Vous parlez avec le/la réceptionniste d'un hôtel en France.
> * Chambre – nombre de personnes.
> * !
> * Manger – où (**un** détail).
> * Petit déjeuner désiré (**un** détail).
> * ? Parking.

Prepare your answer in this space, using the prompts above. Then play the audio file of the teacher's part and speak your answer in the pauses. You can find a full sample answer of another student's response in the answer section.

Teacher script and sample answers

T: Je peux vous aider?
S: Je voudrais une chambre pour deux personnes, s'il vous plaît.
T: Vous préférez quel étage?
S: Je préfère une chambre au premier étage.
T: Certainement. Où voulez-vous manger ce soir?
S: Je veux manger dans le restaurant.
T: D'accord. Que voulez-vous manger au petit déjeuner?
S: Je veux des céréales.
T: Très bien.
S: Il y a un parking à l'hôtel?
T: Ah oui, à gauche de l'entrée.

Photo card: Holidays

* Look at the photo during the preparation period.
* Make any notes you wish to on an Additional Answer Sheet.
* Your teacher will then ask you questions about the photo and about topics related to **holidays**.

Your teacher will ask you the following three questions and then **two more questions** which you have not prepared.

* Qu'est-ce qu'il y a sur la photo?
* Que penses-tu des vacances au bord de la mer? Pourquoi?
* Parle-moi de tes vacances de l'année dernière.

Prepare your answer in this space, using the prompts above. Then play the audio file of the teacher's part and speak your answer in the pauses. You can find a full sample answer of another student's response in the answer section.

Teacher script and sample answers

* Qu'est-ce qu'il y a sur la photo?
Sur la photo il y a beaucoup de personnes sur une plage. Des gens nagent dans la mer et d'autres bronzent sur le sable. Il fait chaud et tout le monde est content.
* Que penses-tu des vacances au bord de la mer? Pourquoi?
J'aime les vacances au bord de la mer parce que j'adore les sports nautiques, surtout la planche à voile car c'est passionnant.
* Parle-moi de tes vacances de l'année dernière.
L'année dernière, j'ai passé mes vacances en Espagne avec mes parents. Nous avons logé dans un hôtel moderne et confortable à Barcelone et je me suis très bien amusé.
* Où passes-tu tes vacances normalement?
Normalement, je vais à Biarritz en France avec mes parents. J'aime bien y faire du surf, surtout quand il fait beau.
* Quel moyen de transport est-ce que tu préfères pour aller en vacances?
Moi, j'aime mieux voyager en avion car c'est rapide et assez facile, mais je déteste voyager en car parce que je trouve ça ennuyeux.

General conversation

1 Parle-moi de ta famille.
2 Qu'est-ce que tu as fait le week-end dernier?
3 Quelle est ta fête préférée? Pourquoi?
4 Qu'est-ce que tu aimerais avoir comme emploi à l'avenir?
5 Qu'est-ce que tes parents font comme travail?
6 Quelles sont tes qualités personnelles?

Prepare your answer in this space, using the prompts above. Then play the audio file of the teacher's part and speak your answer in the pauses. You can find a full sample answer of another student's response in the answer section.

Sample answers

1 Dans ma famille il y a quatre personnes. J'ai un frère cadet qui m'embête tout le temps parce qu'il parle sans cesse. Je m'entends bien avec ma mère car elle m'écoute, mais mon père est trop strict.
2 Le week-end dernier, je suis allé en ville avec mes copains et nous avons fait les magasins ensemble. J'ai acheté un jean et des baskets. Dimanche soir, j'ai joué au tennis avec mon meilleur ami et heureusement, j'ai gagné.
3 Je préfère Noël parce que j'aime donner et recevoir des cadeaux. J'adore décorer la maison et tout le monde est heureux et généreux.
4 À l'avenir, je voudrais devenir professeur car c'est un métier assez bien payé et j'aimerais travailler avec les enfants.
5 Mon père est électricien et il aime bien son travail parce qu'il gagne beaucoup d'argent. Ma mère travaille dans un bureau en ville mais elle trouve son emploi frustrant.
6 On dit que je suis dynamique et travailleur mais mes parents pensent que je suis trop bavard. Au collège, je suis toujours poli et prêt à aider tout le monde.

Set A Reading Foundation practice paper
Time allowed: 45 minutes

The maximum mark for this paper is 60.
Section A
Questions and answers in English

 Holiday preferences

1 Read these opinions about holidays from a website.

A	**Janine:** Je vais toujours au bord de la mer, car nager c'est ma passion. J'aime aussi me faire bronzer et faire les magasins!
B	**Thomas:** Je n'aime pas les vacances actives. Pour moi, il est important de se détendre. J'aime lire ou ne rien faire.
C	**Mathieu:** Le camping me plaît bien parce que j'adore le plein air quand il fait beau ou même quand il pleut.
D	**Karine:** Je pense que rester à la maison, c'est ennuyeux. Je préfère les vacances actives!

Who would want to take part in the following?
Write the letter of the correct person in each box.

(a) A camping holiday — C ✓ **(1 mark)**

(b) A beach holiday — A ✓ **(1 mark)**

(c) An activity holiday — D ✓ **(1 mark)**

(d) Doing nothing on holiday — B ✓ **(1 mark)**

Travelling abroad

2 Your parents are browsing the internet for short breaks in France. They show you a blog they have found about popular holiday destinations in France.

A	**Brest:** Ville assez tranquille où on peut faire une gamme de sports nautiques. Idéal pour les familles.
B	**Cognac:** Si vous vous intéressez à l'histoire, Cognac offre plein de sites historiques et de monuments qui datent du Moyen Âge.
C	**Lyon:** Grande ville où on peut essayer beaucoup de plats régionaux délicieux.
D	**Chamonix:** Ville idéale pour les amateurs de vacances de neige et aussi pour ceux qui aiment la vie nocturne.

Where would you choose to go if you wanted to do the following things?

Write the letter of the correct destination in each box.

(a) Go skiing   D ✓   **(1 mark)**

(b) Visit ancient places   B ✓   **(1 mark)**

(c) Do water sports   A ✓   **(1 mark)**

(d) Eat well   C ✓   **(1 mark)**

13

A new shopping centre

3 You read the advertisement below in a French newspaper.

Centre commercial Étoile

Nous sommes à deux kilomètres de Rouen, tout près du stade.

Il y a plus de cent boutiques, un ciné (douze écrans), un grand choix de restaurants et un hôtel 4 étoiles.

Le centre est ouvert tous les jours de 8h à 22h sauf le dimanche quand on ferme à 17h.

Club d'enfants vendredi et samedi, parking gratuit et salle de sport.

Which of the following aspects of the shopping centre are mentioned? Write the **four** correct letters in the boxes.

A	The location.
B	The public transport links.
C	The number of shops.
D	The opening hours.
E	The special offers.
F	The crèche.

A ✓   C ✓   D ✓   F ✓   **(4 marks)**

14

French food and drink

4 Read this survey about French food and drink.

Answer the questions in **English**.

Selon un sondage récent, les Français sont très traditionnels. Plus de 80% prennent trois repas par jour. La moitié de jeunes mange le dîner devant la télé et une personne sur dix ne mange pas de petit déjeuner. Pourtant, tout le monde pense que les repas pris en famille sont les plus agréables.

75% des Français déclarent prendre un casse-croûte entre les repas et les casse-croûtes préférés sont les chips et les biscuits.

(a) What do more than 80% of French people do?

Have 3 meals a day ✓   **(1 mark)**

(b) How many young French people eat in front of the TV?

Half / 50% ✓   **(1 mark)**

(c) What do 1 in 10 French people not do?

Have breakfast ✓   **(1 mark)**

(d) What kind of meals are considered to be the most pleasant occasions?

Family meals ✓   **(1 mark)**

(e) Apart from biscuits, which is the other favourite snack according to the survey?

Crisps ✓   **(1 mark)**

15

Le Petit Nicolas

5 Read this extract from *Le Petit Nicolas* by René Goscinny.

Nicolas is talking about a recent afternoon activity.

J'ai invité des copains à venir à la maison cet après-midi pour jouer aux cow-boys. Ils sont arrivés avec toutes leurs affaires. Rufus était habillé en agent de police avec un revolver et un bâton blanc. Eudes portait le vieux chapeau boy-scout de son grand frère et Alceste était en Indien, mais il ressemblait à un gros poulet. Geoffroy, qui aime bien se déguiser et qui a un Papa très riche, était habillé complètement en cow-boy avec une chemise à carreaux, un grand chapeau et des revolvers à capsules. Moi, j'avais un masque noir. On était chouettes.

Choose the correct answer to complete each sentence and write the letter in the box.

(a) Nicolas and his friends were going to play …

A	cowboys.
B	football.
C	tennis.

A ✓   **(1 mark)**

(b) Rufus came as …

A	a cowboy.
B	an American Indian.
C	a policeman.

C ✓   **(1 mark)**

(c) Eudes had borrowed something from …

A	his little brother.
B	his dad.
C	his big brother.

C ✓   **(1 mark)**

16

(d) Alceste looked like …

A	a cowboy.
B	a chicken.
C	an old Boy Scout.

B ✓   **(1 mark)**

(e) Geoffroy likes …

A	dressing up.
B	wearing masks.
C	his older brother.

A ✓   **(1 mark)**

(f) Geoffroy and Eudes both …

A	have rich fathers.
B	brought revolvers.
C	wore hats.

C ✓   **(1 mark)**

17

An international event

6 You read this article about a French music event while staying with your penfriend.
Answer the questions in **English**.

Au mois de mai, le festival international de la danse a lieu à Menton. L'année dernière, le festival était à Brighton en Angleterre mais le temps était pluvieux, donc les danseurs ont porté plainte auprès des organisateurs. On espère qu'il fera plus beau dans le sud de la France. Il y aura plus de quatre-vingts groupes groupés cette année.

Pour les spectateurs, il y a plein de bons hôtels dans la région, mais il y a également deux campings tout près de la ville pour ceux qui cherchent un logement moins cher. Il y aura un grand feu d'artifice le dernier soir du festival et tout le monde s'amusera bien.

(a) What was the problem in Brighton?

Rainy weather / it rained ✓   **(1 mark)**

(b) What is hoped for in the new venue?

Better / nicer weather ✓   **(1 mark)**

(c) How many dance groups will take part this year?

More than 80. ✓   **(1 mark)**

(d) Why might spectators prefer camping?

Less expensive / save money ✓   **(1 mark)**

(e) Why will people enjoy the last evening of the festival?

Fireworks. ✓   **(1 mark)**

18

117

Volunteering

7 You read Philippe's blog about helping others.

Answer the questions in **English**.

> Il y a un an, j'ai décidé de faire du travail bénévole pour une association caritative qui aide les pauvres en France. Tous les vendredis, je travaille dans un bureau où je classe des documents et réponds au téléphone. Je vais au collège mais je n'ai pas cours le vendredi, alors c'est idéal pour moi, mais à l'avenir je voudrais bien trouver un emploi comme médecin, ce qui me permettrait de faire des recherches afin de réduire les maladies graves dans les pays les plus pauvres. J'aimerais aussi visiter les pays où la vie est dure car je pourrais mieux comprendre les problèmes des habitants.

(a) When did Philippe first start volunteering?

A year ago ✓ (1 mark)

(b) What does he do in the office?

Filing / files documents ✓ and answering the phone ✓

(2 marks)

(c) Why can he work on Fridays?

He has no classes on Fridays ✓ (1 mark)

(d) Why does he want to become a doctor?

To do research into reducing serious illness in the

Third World ✓ (1 mark)

(e) What reason does he give for visiting certain foreign countries?

To understand better the problems of those who live

there ✓ (1 mark)

19

Une soirée agréable

8 Lisez cet e-mail de Robin au sujet d'une soirée au restaurant.

Complétez le texte avec les mots de la liste ci-dessous.

Écrivez la bonne lettre dans chaque case.

✉

Hier soir j'ai pris un repas A dans un petit restaurant qui se ✓

trouve tout près de chez H . J'y suis allé avec toute ma G ✓✓

afin de fêter l'anniversaire de ma F aînée. Malheureusement, ✓

le service était vraiment E mais la vue sur la rivière était ✓

impressionnante. Tout le monde a choisi du C , la spécialité ✓

du restaurant, et j'ai surtout I les légumes. ✓

A	délicieux
B	frère
C	poisson
D	vite
E	lent
F	sœur
G	famille
H	moi
I	aimé
J	adore
K	je

(7 marks)

20

Les vacances

9 Lisez cet article d'un magazine scolaire sur les vacances.

> Selon moi, il faut aller en vacances chaque année car on peut se détendre et se reposer un peu après avoir travaillé dur pendant l'année scolaire. Puisque j'adore la chaleur, j'aime aller en Espagne ou en Grèce, mais mes parents préfèrent des vacances culturelles en Angleterre ou des vacances à la neige en Italie. L'idée de partir en vacances entre amis m'intéresse parce qu'on aurait plus de liberté. Je m'entends bien avec toute ma famille, mais on ne partage pas les mêmes centres d'intérêt. Je crois que j'irai au pays de Galles avec ma meilleure copine et sa famille cet été. Nous partirons le 16 août et nous allons y faire du camping à la montagne parce que nous aimons tous le plein air.
>
> Chrystelle, 15 ans

Pour chacune des phrases ci-dessous, notez **V** (vrai), **F** (faux) ou **PM** (pas mentionné).

(a) Selon Chrystelle, il faut aller en vacances tous les ans.

V ✓ (1 mark)

(b) Selon Chrystelle, en vacances on a la possibilité de travailler dur.

F ✓ (1 mark)

(c) Elle aime aller en Espagne car il y fait chaud.

V ✓ (1 mark)

(d) Elle a les mêmes goûts que sa famille.

F ✓ (1 mark)

(e) Elle n'est jamais allée au pays de Galles.

PM ✓ (1 mark)

(f) Elle a seize ans.

F ✓ (1 mark)

21

Aller au ciné

10 Lisez ces petites annonces de cinémas sur un site Internet.

Rennes:	On passe *Inferno*, film américain en version originale, sans sous-titres. Réductions pour étudiants.
Dinard:	Au ciné Studio 2, film français, *Alibi*, séances à 17h et à 20h. Ce film va faire rire tout le monde.
Nantes:	Dessins animés pour les petits et les plus grands! Venez voir plus de vingt films à un prix très raisonnable.
Lorient:	Écran 4 – Nouveau film d'épouvante de Rémy Gallois. Pas pour ceux qui ont facilement peur. Écran 5 – Film d'espionnage canadien, *Le rendez-vous*. À ne pas manquer!

Choisissez dans la liste **quatre** phrases qui sont **vraies**. Écrivez les bonnes lettres dans les cases.

A	On peut voir un film comique à Dinard.
B	Il y a un film en espagnol à Rennes.
C	On peut voir un film le matin à Dinard.
D	On passe deux films à Lorient.
E	Il y a un film d'horreur à Lorient.
F	On peut voir beaucoup de films à Nantes.
G	On peut lire les sous-titres à Rennes.
H	On a manqué tous les films à Lorient.
I	Les films coûtent trop cher à Nantes.

A ✓ D ✓ E ✓ F ✓ in any order (4 marks)

22

---

11 Your exchange partner has sent you the following email. Your parents ask you to translate it into **English** for them.

> J'habite près de mon collège. Ma matière préférée, c'est le dessin car je suis créatif. Je n'aime pas les maths parce que je ne m'entends pas avec mon prof. Hier, j'ai joué au foot pour mon équipe scolaire. Après, j'ai fait mes devoirs d'informatique.

I live near my school. ✓ My favourite subject is art ✓

because I am creative. ✓ I don't like maths ✓

because I do not get on with ✓ my teacher. ✓

Yesterday I played football ✓ for my school team. ✓

Afterwards I did my IT homework. ✓

(9 marks)

23

Set A Writing Foundation practice paper

Time allowed: 1 hour

The maximum mark for this paper is 50.
Answer all questions in **French**

Une visite scolaire

1 Vous envoyez une photo à votre ami(e) français(e).

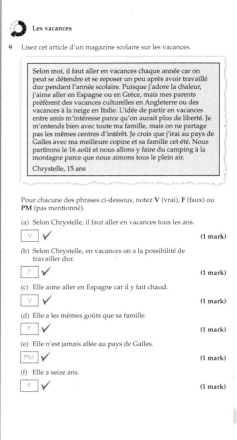

Qu'est-ce qu'il y a sur la photo? Écrivez **quatre** phrases en **français**.

1 Il y a des élèves à Paris devant la Tour Eiffel. (2 marks)

2 Ils sont avec deux professeurs. (2 marks)

3 Ils font du travail. (2 marks)

4 Il fait beau. (2 marks)

24

Un festival des sports

2 Vous allez participer à un festival des sports en France et vous écrivez à votre ami(e) français(e).

Mentionnez:

• quand vous voulez arriver au festival
• où vous allez loger
• les sports que vous aimez
• pourquoi vous voulez aller en France.

Écrivez environ **40** mots en **français**.

Je veux arriver au festival le 9 juillet. Je vais loger dans un hôtel au centre de Toulouse. J'adore tous les sports mais je préfère le foot car c'est un sport actif. Je veux aller en France parce que c'est un très beau pays.

(16 marks)

25

Les passe-temps

3 Translate the following sentences into **French**.

(a) I like football.
J'aime le foot.

(b) My brother goes cycling.
Mon frère fait du cyclisme / vélo.

(c) My parents often watch TV.
Mes parents regardent souvent la télé.

(d) I don't like listening to music.
Je n'aime pas écouter de la musique.

(e) Last weekend I went to the cinema with my sister.
Le week-end dernier, je suis allé(e) au cinéma avec ma sœur.

(10 marks)

26

Answer **either** Question 4.1 **or** Question 4.2.
You must **not** answer **both** of these questions.

EITHER Question 4.1

Q 4.1

Ma région

Vous décrivez votre région pour votre blog.
Décrivez:

• votre opinion sur votre région et pourquoi
• ce que vous avez fait récemment dans votre région
• ce qu'il y a pour les touristes dans votre région
• où vous voudriez habiter à l'avenir.

Écrivez environ **90** mots en **français**. Répondez à chaque aspect de la question.

J'habite à Gloucester, dans l'ouest de l'Angleterre. J'aime habiter ici parce que j'ai plein d'amis et de famille dans la région, et c'est pittoresque. Hier, je suis allé(e) en ville où j'ai vu un bon film comique au cinéma avec mes copains. Pour les touristes, il y a une belle cathédrale au centre-ville et les docks historiques tout près. À l'avenir, je voudrais habiter à Londres car c'est une grande ville animée et il y a beaucoup de choses à faire et à voir là-bas.

(16 marks)

27

OR Question 4.2

Q 4.2

Internet

Vous décrivez votre opinion sur Internet pour votre blog.

Décrivez:
• quand vous utilisez Internet
• comment vous avez utilisé Internet récemment
• les inconvénients d'Internet
• vos projets pour l'avenir sur Internet.

Écrivez environ **90** mots en **français**. Répondez à chaque aspect de la question.

J'utilise Internet tous les jours car j'ai un portable, une tablette et un ordi. J'utilise Internet pour tchatter avec mes copains et rester en contact avec des amis qui n'habitent pas près de chez moi, mais je ne poste jamais de photos sur les réseaux sociaux. Hier, j'ai téléchargé de la musique et j'ai aussi envoyé des e-mails. On peut devenir accro à Internet et en plus, il y a des problèmes comme le harcèlement et le vol d'identité. L'année prochaine, je vais créer ma propre chaîne sur YouTube et j'espère avoir beaucoup d'abonnés.

(16 marks)

28

Set A Listening Higher practice paper
Time allowed: 45 minutes
(including 5 minutes' reading time before the test)

The maximum mark for this paper is 50.
Section A
Questions and answers in **English**

 Radio reports (LISTENING TRACK 15)

1 While on holiday in France, you hear these reports on the radio.

A	A strike
B	Strong winds
C	Flooding
D	A road accident
E	Heavy snow
F	Fog

For each report, choose the topic from the list and write the correct letter in the box.

(a) D ✓ **(1 mark)**
(b) F ✓ **(1 mark)**
(c) A ✓ **(1 mark)**
(d) B ✓ **(1 mark)**

29

 Announcements at the railway station (LISTENING TRACK 16)

2 While on holiday in France, you hear these announcements at a French railway station.
Choose the correct answer and write the letter in the box.

(a) The next train will …

A	arrive on time.
B	be delayed by ten minutes.
C	not stop at this station.

A ✓ **(1 mark)**

(b) On platform 9 there is a …

A	newspaper kiosk.
B	place to store luggage.
C	fast train.

B ✓ **(1 mark)**

(c) There is a discount …

A	for groups.
B	if you buy tickets online.
C	for students.

B ✓ **(1 mark)**

 Holidays (LISTENING TRACK 17)

3 You hear a podcast sent by your French partner school about holiday experiences.
Answer all parts of the question.

Part 1

(a) Milo particularly enjoyed …

A	the hotel.
B	the beach.
C	the food.

C ✓ **(1 mark)**

30

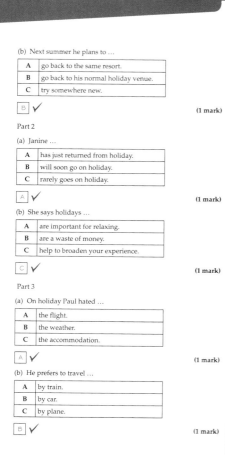

(b) Next summer he plans to …

A	go back to the same resort.
B	go back to his normal holiday venue.
C	try somewhere new.

B ✓ (1 mark)

Part 2

(a) Janine …

A	has just returned from holiday.
B	will soon go on holiday.
C	rarely goes on holiday.

A ✓ (1 mark)

(b) She says holidays …

A	are important for relaxing.
B	are a waste of money.
C	help to broaden your experience.

C ✓ (1 mark)

Part 3

(a) On holiday Paul hated …

A	the flight.
B	the weather.
C	the accommodation.

A ✓ (1 mark)

(b) He prefers to travel …

A	by train.
B	by car.
C	by plane.

B ✓ (1 mark)

31

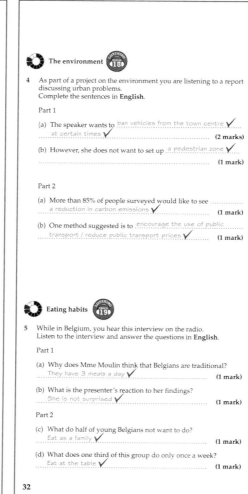

The environment (LISTENING 18)

4   As part of a project on the environment you are listening to a report discussing urban problems.
Complete the sentences in **English**.

Part 1

(a) The speaker wants to _ban vehicles from the town centre_ ✓
at certain times ✓ **(2 marks)**

(b) However, she does not want to set up _a pedestrian zone_ ✓
(1 mark)

Part 2

(a) More than 85% of people surveyed would like to see ……………
a reduction in carbon emissions ✓ **(1 mark)**

(b) One method suggested is to _encourage the use of public_
transport / reduce public transport prices ✓ **(1 mark)**

Eating habits (LISTENING 19)

5   While in Belgium, you hear this interview on the radio.
Listen to the interview and answer the questions in **English**.

Part 1

(a) Why does Mme Moulin think that Belgians are traditional?
They have 3 meals a day ✓ **(1 mark)**

(b) What is the presenter's reaction to her findings?
She is not surprised ✓ **(1 mark)**

Part 2

(c) What do half of young Belgians not want to do?
Eat as a family ✓ **(1 mark)**

(d) What does one third of this group do only once a week?
Eat at the table ✓ **(1 mark)**

32

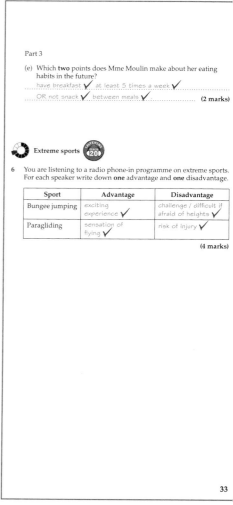

Part 3

(e) Which **two** points does Mme Moulin make about her eating habits in the future?
have breakfast ✓ _at least 5 times a week_ ✓
OR not snack ✓ _between meals_ ✓ **(2 marks)**

Extreme sports (LISTENING 20)

6   You are listening to a radio phone-in programme on extreme sports.
For each speaker write down **one** advantage and **one** disadvantage.

Sport	Advantage	Disadvantage
Bungee jumping	exciting experience ✓	challenge / difficult if afraid of heights ✓
Paragliding	sensation of flying ✓	risk of injury ✓

(4 marks)

33

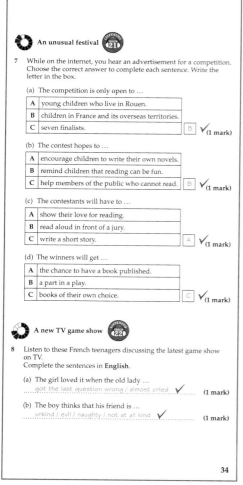

An unusual festival (LISTENING 21)

7   While on the internet, you hear an advertisement for a competition.
Choose the correct answer to complete each sentence. Write the letter in the box.

(a) The competition is only open to …

A	young children who live in Rouen.
B	children in France and its overseas territories.
C	seven finalists.

B ✓ (1 mark)

(b) The contest hopes to …

A	encourage children to write their own novels.
B	remind children that reading can be fun.
C	help members of the public who cannot read.

B ✓ (1 mark)

(c) The contestants will have to …

A	show their love for reading.
B	read aloud in front of a jury.
C	write a short story.

A ✓ (1 mark)

(d) The winners will get …

A	the chance to have a book published.
B	a part in a play.
C	books of their own choice.

C ✓ (1 mark)

A new TV game show (LISTENING 22)

8   Listen to these French teenagers discussing the latest game show on TV.
Complete the sentences in **English**.

(a) The girl loved it when the old lady …
got the last question wrong / almost cried ✓ **(1 mark)**

(b) The boy thinks that his friend is …
unkind / evil / naughty / not at all kind ✓ **(1 mark)**

34

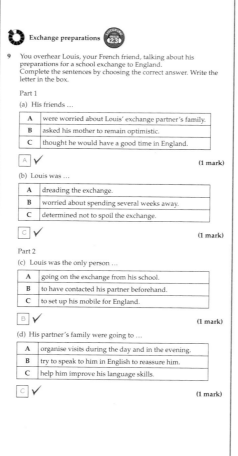

Exchange preparations (LISTENING 23)

9   You overhear Louis, your French friend, talking about his preparations for a school exchange to England.
Complete the sentences by choosing the correct answer. Write the letter in the box.

Part 1

(a) His friends …

A	were worried about Louis' exchange partner's family.
B	asked his mother to remain optimistic.
C	thought he would have a good time in England.

A ✓ (1 mark)

(b) Louis was …

A	dreading the exchange.
B	worried about spending several weeks away.
C	determined not to spoil the exchange.

C ✓ (1 mark)

Part 2

(c) Louis was the only person …

A	going on the exchange from his school.
B	to have contacted his partner beforehand.
C	to set up his mobile for England.

B ✓ (1 mark)

(d) His partner's family were going to …

A	organise visits during the day and in the evening.
B	try to speak to him in English to reassure him.
C	help him improve his language skills.

C ✓ (1 mark)

35

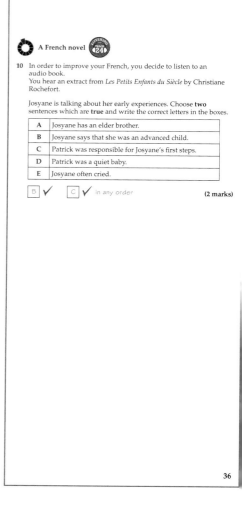

A French novel (LISTENING 24)

10   In order to improve your French, you decide to listen to an audio book.
You hear an extract from *Les Petits Enfants du Siècle* by Christiane Rochefort.

Josyane is talking about her early experiences. Choose **two** sentences which are **true** and write the correct letters in the boxes.

A	Josyane has an elder brother.
B	Josyane says that she was an advanced child.
C	Patrick was responsible for Josyane's first steps.
D	Patrick was a quiet baby.
E	Josyane often cried.

B ✓   C ✓ _in any order_ **(2 marks)**

36

Section B
Questions and answers in French

 Mon mode de vie

1 Écoutez Didier et Christine qui parlent de leur mode de vie. Choisissez **deux** phrases qui sont **vraies** et écrivez les bonnes lettres dans les cases.

Première partie

A	Didier était plus actif l'année dernière.
B	Il nage une fois par semaine.
C	Il a beaucoup de temps libre.
D	Il n'est pas en forme.
E	Il faisait du jogging il y a un an.

A ✓   D ✓ in any order   **(2 marks)**

Deuxième partie

A	Christine ne fumera jamais de cigarettes.
B	Elle s'inquiète pour sa santé.
C	Elle trouve que le tabac l'aide à se détendre.
D	Elle a peur de commencer à se droguer.
E	Ses copines ne fument pas.

B ✓   C ✓ in any order   **(2 marks)**

 Les projets d'avenir

12 Dans un café français, vous écoutez ces jeunes qui parlent de l'avenir. Complétez les phrases suivantes en **français**.

(a) Selon Arnaud, si on va à la fac plus tard dans la vie, on gagnera …
plus d'argent ✓ **(1 mark)**

(b) Il est inquiet car il ne sera pas près de sa famille et …
ses copains / amis / potes / camarades ✓ **(1 mark)**

(c) Élodie va trouver un apprentissage dans …
une entreprise locale ✓ **(1 mark)**

(d) Comme elle aura un salaire, elle sera …
indépendante ✓ **(1 mark)**

 Le travail bénévole

13 Pendant votre échange scolaire en France, vous entendez ces jeunes qui donnent des raisons de faire du travail bénévole.

A	Pour se découvrir.
B	Pour aider les pauvres.
C	Pour se faire de nouveaux amis.
D	Pour se préparer au monde de travail.
E	Pour faire une différence.

Pour chaque jeune, choisissez la raison correcte et écrivez la lettre dans la case.

(a) E ✓ **(1 mark)**

(b) A ✓ **(1 mark)**

Set A Speaking Higher practice paper

Time allowed: 10–12 minutes
(+12 minutes' supervised preparation time)

Role-play: At school

Instructions to candidates

Your teacher will play the part of your French friend and will speak first. You should address your friend as *tu*.

Where you see this – ! – you will have to respond to something you have not prepared.

Where you see this – ? – you will have to ask a question.

> Tu parles avec ton ami(e) français(e) du collège et de l'avenir.
> - Voyage scolaire récent (**deux** détails).
> - !
> - Rapports avec profs (**un** détail).
> - Uniforme scolaire – opinion (**deux** détails).
> - ? Projets en septembre.

Prepare your answer in this space, using the prompts above. Then play the audio file of the teacher's part and speak your answer in the pauses. You can find a full sample answer of another student's response in the answer section.

Teacher script and sample answers

T: Tu as fait une visite scolaire?
S: Oui, je suis allé en France avec mon collège. Nous avons fait du ski dans les Alpes.
T: Que penses-tu des échanges? Pourquoi?
S: J'aime les échanges car ils sont intéressants.
T: Comment trouves-tu tes profs?
S: Je m'entends bien avec tous les profs car ils sont sympa.
T: Tu portes un uniforme?
S: Oui, mais je déteste l'uniforme car il est inconfortable et je n'aime pas la couleur.
T: Je vois.
S: Qu'est-ce que tu vas faire en septembre?
T: Je vais continuer mes études.

Photo card: The environment

- Look at the photo during the preparation period.
- Make any notes you wish to on an Additional Answer Sheet.
- Your teacher will then ask you questions about the photo and about topics related to **the environment**.

Your teacher will ask you the following three questions and then **two more questions** which you have not prepared.

- Qu'est-ce qu'il y a sur la photo?
- Qu'est-ce que tu as fait récemment pour protéger l'environnement?
- Quels sont les problèmes principaux dans la région où tu habites?

Prepare your answer in this space, using the prompts above. Then play the audio file of the teacher's part and speak your answer in the pauses. You can find a full sample answer of another student's response in the answer section.

Teacher script and sample answers

- Qu'est-ce qu'il y a sur la photo?
  Sur la photo il y a trois personnes qui sont en train de ramasser les déchets dans un parc. Elles ont des sacs en plastique et je pense qu'elles protègent l'environnement.
- Qu'est-ce que tu as fait récemment pour protéger l'environnement?
  J'ai décidé de prendre le bus ou d'aller partout à pied pour économiser l'énergie. J'ai aussi commencé à éteindre les lumières quand je quitte une pièce.
- Quels sont les problèmes principaux dans la région où tu habites?
  Je pense que la pollution est un grand problème dans ma ville car il y a trop de circulation au centre-ville. Il y a aussi beaucoup de bruit, ce qui m'énerve.
- À ton avis, est-il nécessaire de recycler? Pourquoi/pourquoi pas?
  Oui, à mon avis c'est nécessaire car on gaspille beaucoup de choses. Je recycle le papier, le verre et le métal régulièrement car je veux sauver la planète.
- Comment serait ta région idéale?
  Ma région idéale n'aurait pas de pollution et tous les habitants recycleraient tout. Il y aurait une zone piétonne en ville afin de réduire la circulation.

General conversation

1 Qu'est-ce que c'est, un bon ami?
2 Qu'est-ce que tu as fait récemment avec tes copains?
3 Est-ce que tu vas sortir avec ta famille ce week-end?
4 Qu'est-ce que tu aimes manger et boire? Pourquoi?
5 Comment as-tu fêté Noël l'année dernière?
6 Qu'est-ce que tu aimerais changer dans ta vie?

Prepare your answer in this space, using the prompts above. Then play the audio file of the teacher's part and speak your answer in the pauses. You can find a full sample answer of another student's response in the answer section.

Sample answers

1 Selon moi, un bon ami devrait être fidèle et loyal. Il est important de partager les centres d'intérêt et les goûts d'un ami. Mon meilleur ami est très compréhensif et il est toujours là pour moi.
2 Le week-end dernier, je suis allé au ciné avec quelques copains. On a vu un bon film comique et après avoir quitté le ciné, on a pris un repas dans un petit restaurant qui se trouve tout près de chez moi. Le repas était vraiment délicieux.
3 Oui, je vais aller au centre sportif avec mon père dimanche matin car nous jouons souvent au badminton. L'après-midi, s'il fait beau, ma famille et moi ferons une promenade à la campagne parce que nous apprécions beaucoup la nature.
4 Mon plat préféré, c'est les pâtes car j'adore la cuisine italienne. J'essaie de manger équilibré, mais je ne peux pas résister au chocolat. Comme boisson, j'aime l'eau minérale car c'est bon pour la peau, mais de temps en temps je prends du café le matin pour me réveiller. Et vous, qu'est-ce que vous aimez manger?
5 L'année dernière j'ai fêté Noël en famille, comme d'habitude. J'ai reçu un nouvel ordi et aussi un portable, alors j'ai eu de la chance. Naturellement, j'ai trop mangé et j'ai même essayé un verre de champagne. Je me suis très bien amusé.
6 Je suis content de ma vie, mais je voudrais peut-être un peu d'argent supplémentaire, alors je vais chercher un petit job. Si je reste en bonne santé, je serai très heureux de continuer ma vie comme elle est.

Set A Reading Higher practice paper
Time allowed: 1 hour
The maximum mark for this paper is 60.

Section A
Questions and answers in English

 Homelessness

1 You read this article from a magazine while you are in France.

> Sylvie Martin habite à Lyon où il y a plus de 8000 personnes sans domicile fixe qui vivent dans les rues de la ville. Elle vient de commencer à aider les sans-abri en travaillant pour une association caritative de la région.
>
> Elle exprime ses sentiments: «J'étais choquée par le nombre de SDF dans la ville. Il y a des jeunes et des gens plus âgés, mais ils ont tous besoin d'aide. Ils n'ont pas les moyens de se nourrir mais il est possible de les aider.»
>
> Tous les samedis elle travaille comme bénévole dans les rues où elle distribue des choses indispensables comme des sacs de couchage, des couvertures et des aliments. Pourtant, l'association a besoin d'argent et de plus de bénévoles, alors pouvez-vous faire une différence?

Which **three** statements are true? Write the correct letters in the boxes.

A	Homelessness can affect the young.
B	Sylvie has always worked for a charity.
C	Sylvie was not surprised by the number of homeless people.
D	She works once a week to help the homeless.
E	She sometimes gives out blankets to the people on the streets.
F	She sometimes gives out money to the homeless.
G	The charity has enough volunteers.

A ✓   D ✓   E ✓ in any order   **(3 marks)**

French schools

2 You come across this online forum in which French pupils write about their schools.
Read what Amandine has written.

> Mon collège ne me plaît pas. Les profs sont trop sévères et ils nous donnent trop de devoirs. Hier j'utilisais mon portable en classe pour chercher un mot dans le petit dico électronique et mon prof d'anglais m'a donné une retenue. J'ai dû copier des lignes et il a aussi confisqué mon portable. De plus, on n'a pas le droit de porter de bijoux, ce que je trouve bizarre. J'en ai vraiment marre. J'attends la fin de l'année avec impatience car je vais changer d'école.

Answer the questions in **English**.

(a) What does Amandine say about her teachers?
Give **two** details.
Too strict ✓ / give too much homework ✓
                                                                                          (2 marks)

(b) Why did she get a detention?
Using her mobile / an online dictionary in class ✓ **(1 mark)**

(c) What does she find weird?
The rule about not being able to wear jewellery ✓ **(1 mark)**

(d) Why can't she wait for the end of the year?
She is changing schools ✓ **(1 mark)**

43

Music

3 You read this article online about the French group Daft Punk.

> Dès leur début, les Daft Punk ont fait partie des artistes français les plus présents à l'étranger. Les célèbres robots (ils refusent de se montrer et portent toujours un casque) ont été parmi les premiers Français de leur génération à faire danser dans les clubs mondiaux. Donc, il n'est pas étonnant de noter qu'ils ont eu de la peine à se sentir français, surtout après avoir signé directement avec le label américain Columbia.
>
> Grâce au succès de leur dernier album (vendu à trois millions d'exemplaires dans le monde), le duo casqué a réussi à s'implanter aussi bien aux États-Unis que dans son pays natal.

For each of the sentences below, write **T** (true), **F** (false) or **NM** (not mentioned).

(a) The group Daft Punk is one of the most successful French groups outside France. | T | ✓

(b) They trained as jazz musicians. | NM | ✓

(c) They have no difficulty in feeling French. | F | ✓

(d) Their last album enjoyed great success. | T | ✓

(4 marks)

44

A young boy

4 Read this extract from the novel *Madame Bovary* by Gustave Flaubert. The character, Charles, is a young boy at a boarding school.

> Charles était un garçon de tempérament modéré, qui jouait aux récréations, travaillait à l'étude, écoutant en classe, dormant bien au dortoir, mangeant bien au réfectoire. Il n'avait qu'un ami, le fils d'un épicier qui avait été envoyé au pensionnat par sa famille.
>
> Le soir de chaque jeudi, Charles écrivait une longue lettre à sa mère, avec de l'encre rouge, puis il repassait ses cahiers ou bien lisait un vieux volume historique qu'on avait laissé à la bibliothèque de l'école. En promenade il bavardait seulement avec le domestique, qui était de la campagne comme lui.
>
> (Adapted and abridged from *Madame Bovary* by Gustave Flaubert).

Answer the questions in **English**.

(a) Give **two** examples of how Charles was considered to be a normal pupil.
any two of: played at break / worked in study time /
listened in class / slept well in the dormitory /
ate in the refectory ✓ ✓   **(2 marks)**

(b) How do we know that he was not popular at school?
He only had one friend ✓   **(1 mark)**

(c) What did Charles do every Thursday?
Wrote (a long letter) to his mother ✓   **(1 mark)**

(d) What did he have in common with the servant?
They both came from the country ✓   **(1 mark)**

45

A shopping trip

5 Read Antoine's blog post.

> Ayant décidé de faire les magasins hier, je me suis rendu compte que, puisque j'étais tout seul, c'était une occasion d'acheter des cadeaux pour mon frère qui fêtera demain ses dix-huit ans et pour ma mère qui va célébrer son anniversaire le mois prochain. Mon père m'a emmené au centre-ville en voiture avant de partir au boulot, et j'ai cherché en vain un roman que mon frère voulait depuis longtemps. J'ai enfin réussi à lui acheter un maillot de foot de son équipe préférée à un prix très élevé!
>
> Après avoir pris un déjeuner rapide, j'ai passé une demi-heure dans une bijouterie où je cherchais sans succès une bague en argent pour ma mère. J'étais vraiment déçu, mais en rentrant chez moi à pied, j'ai remarqué une belle écharpe en soie dans la vitrine d'un petit magasin caritatif du coin. J'ai appelé ma sœur pour savoir son opinion car c'était une accessoire d'occasion, mais elle m'a dit de l'acheter, alors j'étais ravi d'avoir trouvé deux bons cadeaux pour ma famille!

Choose the correct answer and write the correct letter in the box.

(a) Antoine realised that he could buy presents for his family because …

A	he had saved enough money.
B	he was on his own.
C	he was feeling generous.

| B | ✓   **(1 mark)**

(b) His brother …

A	has a birthday next month.
B	will soon be 18.
C	has just turned 18.

| B | ✓   **(1 mark)**

(c) His dad took him into town …

A	on his way to work.
B	before breakfast.
C	because he was going shopping too.

| A | ✓   **(1 mark)**

(d) Antoine wanted to buy his brother …

A	a football shirt.
B	an Italian shirt.
C	a novel.

| C | ✓   **(1 mark)**

(e) He was disappointed because …

A	he had not found a ring.
B	he didn't have enough money for the present he wanted for his mum.
C	he could not find a scarf.

| A | ✓   **(1 mark)**

(f) He phoned his sister because …

A	she wanted him to buy a silver bag.
B	he wanted to check that she had not bought the same present.
C	he was concerned about buying a second-hand scarf.

| C | ✓   **(1 mark)**

46

47

Poverty in Africa

6 You read this online article on African poverty.

> L'Afrique est le continent le plus pauvre du monde. Les vingt pays les plus pauvres sont africains sauf un: le Népal. La vie quotidienne de plein d'Africains est très dure: insuffisance de nourriture, taux de chômage incroyable, manque de soins médicaux de base et climat défavorable.
>
> Ajoutons à cela une exploitation des richesses par les pays européens comme la France, qui date du dix-huitième siècle, et les effets des guerres civiles qui provoquent à la fois le déplacement de populations ainsi que la mise en place de gouvernements fragiles dans certains pays déjà instables.
>
> La pauvreté est responsable de graves problèmes de sous-alimentation et de malnutrition qui affaiblissent les personnes atteintes, voire sont responsables de leur mort. De plus, au Niger, plus de quatre-vingt-dix pour cent des adultes sont analphabètes. Même dans les pays plus développés comme la Gambie, l'effort éducatif est concentré dans les villes et le manque d'instruction primaire de la population campagnarde pénalise la formation individuelle et gêne le développement général des pays, faute d'une main-d'œuvre suffisamment qualifiée.

Answer the questions in **English**.

(a) How do we know from the article that Africa is the poorest continent in the world?
It has 19 of the poorest 20 countries in the world ✓ **(1 mark)**

(b) Give **three** reasons why the lives of some Africans are so hard.
any three of: lack of food / high unemployment / lack of basic
medical care / unfavourable climate ✓ ✓ ✓
                                                                                          (3 marks)

(c) What historic reason is given for Africa's situation?
European exploitation of its resources ✓   **(1 mark)**

(d) What is a prime cause of death in Africa?
one of: undernourishment / malnutrition ✓   **(1 mark)**

(e) What are we told about most adults in Niger?
They cannot read / are illiterate ✓   **(1 mark)**

48

(f) What is hindering educational progress in countries like Gambia? Give **two** details.

any two of: education is focused on towns / lack of *primary education in the countryside / not enough* *qualified helpers* ✓✓ **(2 marks)**

Future jobs

7 You read these letters about career ambitions in a French magazine. Identify the people.

Write **A** (Annie) **K** (Kévin)

R (René) **E** (Ellie)

> J'ai envie de devenir coiffeuse. Je sais que beaucoup de gens disent que c'est un métier qui ne sert à rien, mais à mon avis, on pourrait rencontrer plein de gens et développer des amitiés qui dureront longtemps. **Annie, 16 ans**

> Mes parents veulent que je sois chirurgien, comme mon oncle, mais je ne suis pas habile et cela ne m'intéresse pas. J'aimerais plutôt travailler dans l'informatique. **René, 18 ans**

> Je voudrais poursuivre une carrière où je pourrai utiliser mes compétences dont la créativité est la principale. Je crois que je serai architecte, mais je sais qu'il faut travailler par tous les temps et qu'on risque d'être blessé par des chutes d'objets lourds. **Kévin, 17 ans**

> J'ai toujours rêvé de devenir chanteuse ou actrice, mais mes copines se moquent de moi. Elles disent que je devrais être plus réaliste. **Ellie, 19 ans**

(a) I don't want to follow a family career path. `R` ✓

(b) The job I want could help forge friendships. `A` ✓

(c) I want to choose a career which suits my skills. `K` ✓

(d) I would like to follow my dreams despite what my friends think. `E` ✓

(4 marks)

49

Section B
Questions and answers in French

La guerre contre le surpoids

8 Lisez cet article sur le surpoids.

> En Guadeloupe, le surpoids est un vrai problème de santé publique vu qu'une personne sur deux est obèse, un chiffre qui est quatre fois plus élevé qu'en France. Le problème va toujours croissant, donc l'Agence régionale de santé (ARS) a déjà lancé de multiples initiatives afin de lutter contre ce fléau. Le programme nutrition-santé Carambole a pour but la prévention du surpoids en ciblant les élèves de maternelle.
>
> En essayant de sensibiliser les très jeunes enfants, on veut établir des routines alimentaires plus saines chez une génération d'enfants pour réduire le risque de diabète et de problèmes de cœur.
>
> Si la majeure partie des projets de prévention et de sensibilisation concerne les jeunes, il est également nécessaire de ne pas négliger les adultes, les femmes tout particulièrement qui, en tant que mères, peuvent être les actrices primordiales d'une alimentation saine et équilibrée. Le programme Feel So Light cherche à connecter le corps à l'esprit en combinant les principes de nutrition et la perception qu'on pourrait avoir de soi-même.
>
> Tous ceux qui participent aux programmes espèrent améliorer la vie de tous les Guadeloupéens en aidant les gens à prendre conscience de leur potentiel pour découvrir un processus durable de perte de poids et pour contribuer à l'épanouissement personnel.

Répondez aux questions en **français**.

(a) Comment sait-on que l'obésité est un véritable problème en Guadeloupe?

Une personne sur deux est obèse ✓ **(1 mark)**

(b) Le programme nutrition-santé Carambole concerne qui en particulier?

Les élèves de maternelle ✓ **(1 mark)**

(c) On essaie d'améliorer la santé des jeunes en réduisant quelles maladies?

Le diabète ✓ *et les maladies de cœur* ✓

(2 marks)

50

(d) Pourquoi est-ce que les femmes sont particulièrement importantes?

one of: Elles sont des mères / elles sont les sources *principales d'une alimentation saine / équilibrée* ✓ **(1 mark)**

(e) Quels sont les buts du programme Feel So Light? Donnez **deux** détails.

any two of: Connecter le corps à l'esprit / enseigner les principes *de nutrition / la perception de soi-même* ✓✓ **(2 marks)**

Pourquoi va-t-on en vacances?

9 Pendant un échange scolaire, vous lisez cet extrait d'un site Internet sur les vacances.

> Les vacances ne sont pas une occasion de passer toute la journée au lit à regarder un écran, il faut bouger!
>
> Pourquoi devrait-on partir en vacances?
>
> Il faut absolument sortir de la routine. Bousculez vos habitudes en voyageant et sortez de votre cage. Vous serez obligé de faire de nouvelles expériences et quand vous reviendrez, vous aurez un regard neuf sur votre quotidien, je vous assure.
>
> Naturellement on peut découvrir le monde en voyageant. Imaginez avoir des amitiés dans chaque région du monde!
>
> Confrontez vos préjugés, parcourez le monde, et ne soyez pas négatif! Des expériences gastronomiques vous attendent.
>
> Selon moi, la raison la plus importante de faire des voyages, c'est de mieux se connaître. En essayant des vacances sauvages, par exemple, on pourrait démontrer ses aptitudes relationnelles, son sens de l'organisation et aussi sa résistance physique!

Pour chacune des phrases ci-dessous, notez **V** (vrai), **F** (faux) ou **PM** (pas mentionné).

(a) Une raison d'aller en vacances est d'améliorer ses compétences linguistiques. `PM` ✓ **(1 mark)**

(b) On dit que rester en pyjama toute la journée est une bonne idée. `F` ✓ **(1 mark)**

(c) En voyageant, on peut changer ses habitudes. `V` ✓ **(1 mark)**

(d) Selon l'article, la raison principale d'aller en vacances est de se découvrir. `V` ✓ **(1 mark)**

51

La vie à Montréal

10 Vous lisez ce poste sur une site Internet. Jean décrit sa ville natale.

> Je viens de passer mes vacances en France. De retour dans ma ville natale, Montréal, j'ai recommencé à apprécier ses charmes. Quand on croise le regard d'un passant, il sourit immédiatement et on se tutoie sans hésitation. Les touristes sont toujours les bienvenus. Dès qu'on remarque un touriste avec une carte ouverte, on va lui demander s'il a besoin d'aide.
>
> À Montréal, on ne court pas et on ne se bouscule jamais dans le métro, même aux heures de pointe. On célèbre la première neige avec la même ferveur que les premières températures positives: dès le moment où il fait plus de dix degrés, c'est l'été!
>
> Montréal n'est pas une ville parfaite. Je déteste les embouteillages interminables et je voudrais qu'on développe suffisamment les transports en commun, mais la ville, à l'image de ses habitants, est chaleureuse, reconnaissante de son histoire mais tournée vers l'avenir, ouverte, cosmopolite et délicieuse à vivre!
>
> **Jean, 26 ans**

Choisissez dans la liste **quatre** phrases qui sont **vraies**. Écrivez les bonnes lettres dans les cases.

A	Jean passe toujours ses vacances à Montréal.
B	Dans les rues de Montréal, les gens sont normalement aimables.
C	À Montréal on voit rarement des touristes.
D	Les habitants de Montréal sont prêts à aider les touristes.
E	Dans le métro de Montréal, les gens sont souvent impolis.
F	À Montréal il fait toujours chaud.
G	On s'habitue au temps froid à Montréal.
H	Les transports en commun y sont bien développés.
I	Il y a souvent trop de circulation à Montréal.

`B` ✓ `D` ✓ `G` ✓ `I` ✓ **(4 marks)**

52

Section C
Translation into English

11 Your sister has seen this post on Facebook and asks you to translate it for her into **English**.

> Selon mes parents, je suis paresseux et ils disent que je ne fais rien à l'école. Hier soir, ils ont refusé de me laisser sortir avec mes amis car je n'avais pas fini mes devoirs. J'étais vraiment déçu. J'essayerai d'obtenir de meilleures notes parce que je voudrais avoir plus de liberté à l'avenir.

According to my parents ✓ I'm lazy ✓ and they say that I don't do anything at school ✓ . Last night they refused ✓ to let me go out with my friends ✓ because I had not finished my homework ✓ . I was really disappointed ✓ . I will try to get better marks ✓ because I'd like to have more freedom in the future ✓ .

(9 marks)

53

Set A Writing Higher practice paper

Time allowed: 1 hour 15 minutes

The maximum mark for this paper is 60.
Answer all questions in **French**

Answer **either** Question 1.1 or Question 1.2.
You must **not** answer **both** of these questions.

EITHER Question 1.1

Q 1.1

La vie en famille

Vous décrivez la vie en famille pour votre blog.
Décrivez:

• les membres de votre famille
• vos rapports
• une visite récente avec votre famille
• vos projets en famille pour le week-end prochain.

Écrivez environ **90 mots** en **français**. Répondez à chaque aspect de la question.

Dans ma famille il y a quatre personnes: mes parents, ma sœur cadette qui s'appelle Jade et moi. Ma mère, Louise, a 42 ans et elle est petite et belle et mon père, Mark, est très grand et mince. Je m'entends bien avec mes parents car ils me respectent, mais, de temps en temps, Jade m'énerve parce qu'elle est trop bavarde.

Hier, nous sommes allés au bord de la mer où j'ai fait de la voile, ce qui m'a beaucoup plu. Le week-end prochain, nous irons en ville voir un film comique ensemble.

(16 marks)

54

123

OR Question 1.2

Q 1.2

L'environnement

Vous écrivez sur l'environnement pour votre blog.
Décrivez:
• le problème environnemental le plus grave selon vous
• vos opinions sur les problèmes environnementaux
• ce que vous avez fait récemment pour protéger l'environnement
• vos actions environnementales à l'avenir.
Écrivez environ **90** mots en **français**. Répondez à chaque aspect de la question.

À mon avis, le problème environnemental le plus grave c'est la pollution. Je suis triste quand je vois des déchets dans la rue ou dans les rivières car on est en train de détruire la planète.
Le week-end dernier, j'ai recyclé des journaux et des bouteilles vides au centre de recyclage et j'étais très content(e). J'ai aussi décidé de prendre des douches au lieu de bains afin d'économiser l'eau.
À l'avenir, j'essayerai de voyager partout en bus ou en train car je pense qu'il y a trop de circulation en ville.

(16 marks)

55

Answer **either** Question 2.1 **or** Question 2.2.
You must **not** answer **both** of these questions.

EITHER Question 2.1

Q 2.1

L'école

Vous écrivez un blog sur votre école pour un site web français.
Décrivez:
• votre école et vos opinions sur les profs
• une visite scolaire récente.
Écrivez environ **150** mots en **français**. Répondez aux deux aspects de la question.

Mon lycée, qui se trouve tout près de ma maison, est vraiment grand. Il y a environ mille élèves, âgés de onze à dix-huit ans. Je suis élève ici depuis presque cinq ans et selon moi, c'est une école exceptionnelle car les profs sont sympa et travailleurs. Mon prof préféré est mon prof de maths parce qu'il explique bien sa matière et qu'il m'aide souvent quand j'ai des problèmes. L'année prochaine, je préparerai mon bac ici et j'espère avoir de bonnes notes.
Il y a quelques mois, on a organisé une visite à Londres pour notre classe d'histoire et j'ai décidé d'y participer. C'était extra puisqu'on a visité tous les sites historiques comme la Tour de Londres et le palais de Buckingham. Avant de rentrer, j'ai même eu le temps de faire les magasins au centre où j'ai réussi à trouver des cadeaux pour mes copains. J'aimerais bien y aller à nouveau!

(32 marks)

56

OR Question 2.2

Q 2.2

La vie d'adolescent

Vous écrivez un article sur votre vie d'adolescent pour un magazine français.
Décrivez:
• vos passe-temps préférés et pourquoi vous avez ces passe-temps
• un événement récent mémorable dans votre vie.
Écrivez environ **150** mots en **français**. Répondez aux deux aspects de la question.

Je suis très sportif / sportive et je passe une grande partie de mon temps libre à faire du sport, car je pense qu'il est vraiment important d'être en forme. Je fais de l'équitation depuis plus de dix ans et j'ai mon propre cheval que j'adore. En été je joue au tennis et je vais souvent au centre sportif en ville où je pratique une gamme de sports avec mes copains. Le week-end prochain, je vais participer à un tournoi de tennis avec eux et après, nous irons en ville prendre un repas ensemble.
Je viens de fêter mes seize ans et c'était fantastique. Mes parents ont organisé une fête chez nous et tous mes copains sont venus. On m'a donné beaucoup de cadeaux, mais ce que j'ai surtout aimé, c'était l'ambiance géniale. On a dansé et on a bavardé jusqu'à une heure du matin. Naturellement, j'étais épuisé(e) le lendemain mais c'était une journée que je n'oublierai jamais.

(32 marks)

57

Q 3

Translation: Les vacances

Translate the following passage into **French**.

> Last year I spent my holidays in Scotland. I stayed in an enormous hotel by the sea. Every afternoon my parents went shopping while I relaxed on the beach. Next summer I would like to visit Italy with my friends. I will have to earn some money, so I intend to get a part-time job.

L'année dernière, j'ai passé mes vacances en Écosse. J'ai logé dans un hôtel énorme au bord de la mer. Tous les après-midis, mes parents faisaient les magasins pendant que je me détendais sur la plage. L'été prochain, je voudrais visiter l'Italie avec mes amis. Je devrai gagner de l'argent, alors j'ai l'intention de trouver un petit boulot.

(12 marks)

58

Set B Listening Foundation practice paper
Time allowed: 35 minutes
(including 5 minutes' reading time before the test)

The maximum mark for this paper is 40.
Section A
Questions and answers in **English**

At the tourist office

1 You are in a French tourist office and hear other tourists asking questions.

A	Visit the church
B	Go cycling
C	Go shopping
D	Visit a theme park
E	Visit the museum
F	Go camping
G	Watch a film

What do these people want to do?
Write the correct letter in each box.

(a) G ✓ **(1 mark)**

(b) A ✓ **(1 mark)**

(c) F ✓ **(1 mark)**

59

A French school

2 Your exchange partner and his friends are talking about school.
For each person, write in the box a reason why they dislike school.
Answer in **English**.

Example:

Person	Reason
Sophie	Maths teacher is too strict.

(a) | Jamel | not well equipped ✓ | **(1 mark)**

(b) | Rashida | rules are unfair ✓ | **(1 mark)**

(c) | Fleur | too much homework ✓ | **(1 mark)**

Part-time jobs

3 Your exchange partner is telling you what his friends, Lydie, Sébastien and Chloé, do as part-time jobs.

A	Wants a different job
B	Likes colleagues
C	Job is badly paid
D	Job is boring
E	Works every evening
F	Job is interesting
G	Works in a café

Which statement goes with each person?

Write the correct letter in the box.

Lydie | B ✓ | **(1 mark)**

Sébastien | A ✓ | **(1 mark)**

Chloé | F ✓ | **(1 mark)**

60

Ambitions 🎧 434

4 Your French friend is telling you about her ambitions for the future.
Listen to the recording and answer the questions in **English**.

(a) What does she plan to do when she leaves school?
   Go to university ✓ **(1 mark)**

(b) Where does she plan to travel in the future?
   Africa ✓ **(1 mark)**

(c) What type of job would she like?
   In I.T. ✓ **(1 mark)**

(d) What does she say about future relationships?
   Does not want to get married ✓ **(1 mark)**

Free-time activities 🎧 435

5 During an online chat with your exchange school, Karine tells you what she does in her free time.

A	Going cycling
B	Playing chess
C	Reading novels
D	Playing volleyball
E	Collecting stamps
F	Going water skiing
G	Going skiing

What **three** things does Karine enjoy doing?
Write the correct letters in the boxes.

A ✓ C ✓ F ✓ *in any order* **(3 marks)**

61

Young people and voluntary work 🎧 436

6 You hear this report on voluntary work among young French people.
Listen to the report and answer the questions in **English**.

(a) Why do most young people do voluntary work?
   To help disadvantaged / homeless people ✓ **(1 mark)**

(b) What reason do 20% of the people in the survey give for doing voluntary work?
   To make (new) friends ✓ **(1 mark)**

(c) What percentage of those surveyed do work to improve their skills?
   12 ✓ **(1 mark)**

Primary school 🎧 437

7 Your French friend, Lucille, is telling you about her old primary school.
Listen to what she says and answer the questions in **English**.

(a) What did she like best about her primary school?
   Food / lunches ✓ **(1 mark)**

(b) What did she do at break on most days?
   Chatted to friends ✓ **(1 mark)**

(c) What does she say about her teachers?
   Respected them ✓ **(1 mark)**

(d) Which rule did she use to hate?
   Not being able to eat in class ✓ **(1 mark)**

62

Technology 🎧 438

8 You hear this radio programme about online technology.
Choose the correct answer and write the letter in the box.

(a) Jules goes on social media …

A	very rarely.
B	every day.
C	once a week.

B ✓ **(1 mark)**

(b) Yesterday Jules …

A	bought a new mobile.
B	downloaded music online.
C	lost his mobile.

C ✓ **(1 mark)**

(c) He mostly uses his computer to …

A	send emails.
B	research school projects.
C	check sports results.

A ✓ **(1 mark)**

(d) Jules never …

A	posts photos on sites.
B	tells anyone his password.
C	uses his real name online.

B ✓ **(1 mark)**

(e) Tomorrow he is going to …

A	change his password.
B	buy a new tablet.
C	ask his parents for financial help.

C ✓ **(1 mark)**

63

A difficult holiday 🎧 439

9 You hear this interview on French radio about a disastrous holiday.
Write the answers to the questions in the box in **English**.

Example:

| Where did Salika go on holiday? | Morocco |

(a)

| How did Salika find the flight? | Pleasant ✓ |

(1 mark)

(b)

| What was the problem with the hotel's location? | It was 10 km from the coast / not on the coast / not as it was stated in the brochure ✓ |

(1 mark)

(c)

| What does Salika say about the food in the hotel? | Too spicy ✓ |

(1 mark)

(d)

| How is the hotel owner described? | Rude / impolite ✓ |

(1 mark)

64

Section B
Questions and answers in French

Les rapports 🎧 440

10 Gabriel parle de sa famille.
Complétez la phrase avec les bons mots. Écrivez la bonne lettre dans la case.

(a) Gabriel s'entend mieux avec …

A	son frère aîné.
B	sa sœur cadette.
C	son petit frère.

A ✓ **(1 mark)**

(b) Il trouve Robert …

A	drôle.
B	énervant.
C	strict.

B ✓ **(1 mark)**

(c) Il dit que sa mère est très …

A	drôle.
B	énervante.
C	stricte.

C ✓ **(1 mark)**

(d) Son père aime …

A	l'équitation.
B	le cyclisme.
C	la natation.

A ✓ **(1 mark)**

(e) Gabriel fait du vélo …

A	souvent.
B	rarement.
C	de temps en temps.

A ✓ **(1 mark)**

65

Mes collègues 🎧 441

11 Yolande parle de son travail.

A	amusante
B	agaçante
C	fidèle
D	gentille
E	généreuse
F	impatiente

Comment sont ses collègues?
Écrivez la bonne lettre dans la case.

(a) Pauline est
   A ✓ **(1 mark)**

(b) Olivia est
   E ✓ **(1 mark)**

(c) Connie est
   B ✓ **(1 mark)**

66

125

Set B Speaking Foundation practice paper

Time allowed: 7–9 minutes
(+ 12 minutes' supervised preparation time)

Role-play: Family

Instructions to candidates

Your teacher will play the part of your French friend and will speak first. You should address your friend as *tu*.

Where you see this – ! – you will have to respond to something you have not prepared.

Where you see this – ? – you will have to ask a question.

Tu parles de la famille et des amis avec ton ami(e) français(e).

• Membre de ta famille – description.
• Ta famille – ton opinion (**une raison**).
• !
• Activité préférée avec ta famille (**un détail**).
• ? Meilleur ami.

Prepare your answer in this space, using the prompts above. Then play the audio file of the teacher's part and speak your answer in the pauses. You can find a full sample answer of another student's response in the answer section.

Teacher script and sample answers

T: Décris-moi quelqu'un de ta famille.
S: Ma sœur est assez grande et mince.
T: Que penses-tu de ta famille?
S: J'adore ma famille.
T: Tu préfères sortir avec tes amis ou avec ta famille? Pourquoi?
S: Je préfère sortir avec mes amis car c'est plus amusant.
T: Quelle est ton activité préférée avec ta famille?
S: Je préfère aller au cinéma avec ma famille car c'est intéressant.
T: Ah bon.
S: Tu as un meilleur ami?
T: Non, mais j'ai plein d'amis.

67

Photo card: Future studies

• Look at the photo during the preparation period.
• Make any notes you wish to on an Additional Answer Sheet.
• Your teacher will then ask you questions about the photo and about topics related to **future studies**.

Your teacher will ask you the following three questions and then **two more questions** which you have not prepared.

• Qu'est-ce qu'il y a sur la photo?
• Qu'est-ce que tu vas faire en septembre prochain?
• Tu trouves quelles matières utiles au collège?

Prepare your answer in this space, using the prompts above. Then play the audio file of the teacher's part and speak your answer in the pauses. You can find a full sample answer of another student's response in the answer section.

Teacher script and sample answers

• Qu'est-ce qu'il y a sur la photo?
  Il y a un groupe d'étudiants à l'université. Les étudiants ont un diplôme et tout le monde est content.
• Qu'est-ce que tu vas faire en septembre prochain?
  Je vais rester à l'école préparer mon bac. Je vais étudier le dessin, la biologie et l'histoire.
• Tu trouves quelles matières utiles au collège?
  Je trouve l'anglais utile et aussi les maths, mais je ne les aime pas beaucoup.
• Tu veux aller à l'université? Pourquoi/pourquoi pas?
  Je veux aller à l'université car je veux un emploi bien payé plus tard dans la vie.
• Que penses-tu des apprentissages?
  À mon avis, c'est une bonne idée si on veut trouver un emploi technique.

68

General conversation

1 Tu aimes ton école? Pourquoi/pourquoi pas?
2 Qu'est-ce que tu as fait pour profiter de ton éducation?
3 Que penses-tu des échanges scolaires?
4 Où passes-tu tes vacances normalement?
5 Où aimerais-tu passer tes vacances idéales?
6 C'est quoi, ton moyen de transport préféré? Pourquoi?

Prepare your answer in this space, using the prompts above. Then play the audio file of the teacher's part and speak your answer in the pauses. You can find a full sample answer of another student's response in the answer section.

Sample answers

1 J'aime mon école parce que j'ai beaucoup de copains ici, et je m'entends bien avec mes profs. C'est un bon collège bien équipé, à mon avis.
2 J'ai participé au club de théâtre et c'était amusant. J'ai aussi travaillé dur pendant cinq ans. J'espère avoir de bons résultats.
3 Je pense que les échanges scolaires sont formidables. Il y a deux ans, je suis allé en France avec mon collège et je me suis très bien amusé. J'ai aussi amélioré mon français.
4 Normalement je vais en Espagne avec ma famille. Nous logeons dans un hôtel au bord de la mer et je fais des sports nautiques, mais l'année dernière nous sommes allés en France et c'était génial.
5 Je voudrais passer mes vacances à New York car, selon moi, c'est une grande ville animée et j'aimerais y faire du shopping. J'aimerais aussi visiter tous les monuments célèbres.
6 Je préfère voyager en train parce que c'est assez rapide, et on peut écouter de la musique ou lire un livre pendant le trajet. J'ai peur des avions.

69

Set B Reading Foundation practice paper
Time allowed: 45 minutes

Total number of marks: 60
Section A
Questions and answers in **English**

 Free time activities

1 An online magazine has published an article about hobbies. Read these people's opinions.

 Jacques
Je suis très sportif, alors je vais souvent au centre sportif où je joue au volley et au basket. Je préfère les sports d'équipe.

 Tammy
Je déteste le sport. Je préfère faire les magasins ou écouter de la musique chez moi avec mes copines.

 Vincent
Ma passion c'est la lecture. Je lis chaque jour mais j'aime aussi regarder la télé. Je préfère la télé-réalité.

 Kathy
Je n'ai pas beaucoup de temps libre parce que j'ai trop de travail scolaire. De temps en temps je vais au ciné.

 Géraldine
Le week-end j'aime bien jouer au golf.

 Alain
Mon passe-temps préféré, c'est le patin à glace. Je vais à la patinoire deux fois par semaine.

 Nathalie
Je joue dans l'orchestre de l'école. Je joue de la flûte et de la clarinette.

 Simon
Je fais des promenades à vélo avec mes amis. On peut oublier tous les problèmes!

70

Write the name of the correct person for each statement.

(a) Who likes reading? — Vincent ✓ (1 mark)
(b) Who has little free time? — Kathy ✓ (1 mark)
(c) Who does a hobby twice a week? — Alain ✓ (1 mark)
(d) Who likes shopping? — Tammy ✓ (1 mark)
(e) Who plays an instrument? — Nathalie ✓ (1 mark)
(f) Who likes to cycle? — Simon ✓ (1 mark)
(g) Who likes team sports? — Jacques ✓ (1 mark)

71

 Helping the environment

2 You see this advertisement about the ways in which Marco the Mole helps the environment.

Je m'appelle Marco et j'aime protéger la planète. Je prends toujours une douche au lieu d'un bain. Je recycle les journaux tous les jours et je recycle les bouteilles en verre le lundi et le vendredi. Je prends le bus ou, pour les trajets courts, je me déplace à vélo. Quand je vais au supermarché j'achète des produits bio. J'économise aussi l'électricité.

Which **three** statements are true? Write the correct letters in the boxes.

A	Marco always takes a bath.
B	He recycles newspapers every day.
C	He recycles glass twice a week.
D	For short journeys he travels by bus.
E	He tries to buy products which are green.
F	He also saves time.
G	He never saves electricity.

 B ✓   C ✓   E ✓  in any order (3 marks)

72

Homelessness

3 Read this article about social problems.

> Selon une enquête récente à Paris, il y a plus de trois mille sans-abri qui dorment dans les rues de la capitale. Naturellement ils n'ont pas d'emploi. Ils reçoivent des pièces de monnaie des passants dans la rue, mais ils ont froid, surtout en hiver, et parfois peur aussi. La plupart des sans-abri sont jeunes; ils ont moins de trente ans. Il faut encourager le gouvernement à aider ces pauvres. Ils ont souvent l'air triste.

Answer the questions in **English**.

(a) How many homeless people are there in Paris?
...... More than 3000 ✓ ...... (1 mark)

(b) Apart from a home, what else do they not have?
...... A job ✓ ...... (1 mark)

(c) At what time of year are their problems especially bad?
...... Winter ✓ ...... (1 mark)

(d) What does the article say about the majority of homeless people?
...... They are young / under 30 ✓ ...... (1 mark)

(e) Who should help the homeless according to the article?
...... The government ✓ ...... (1 mark)

(f) How do the homeless people often look?
...... Sad ✓ ...... (1 mark)

73

Une promenade

4 Read this extract from the novel *Le Rouge et le Noir* by Stendhal. A family is on an outing together.

> C'était par un beau jour d'automne que M. de Rênal se promenait sur la plage, donnant le bras à sa femme. Tout en écoutant son mari qui parlait d'un air grave, l'œil de Madame de Rênal suivait avec inquiétude les mouvements de leurs trois petits fils. L'aîné, qui pouvait avoir onze ans, s'approchait trop souvent du parapet et essayait d'y monter. Une voix douce prononçait alors le nom d'Adolphe, et l'enfant renonçait à son projet ambitieux. Madame de Rênal paraissait une femme de trente ans, mais encore assez jolie.
>
> (adapted from *Le Rouge et le Noir*, Stendhal)

Choose the correct answer to complete each sentence and write the letter in the box.

(a) The outing took place in the …

A	autumn.
B	winter.
C	summer.

A ✓ (1 mark)

(b) The family was …

A	in town.
B	at the seaside.
C	in the mountains.

B ✓ (1 mark)

(c) Mme de Rênal was …

A	watching her husband.
B	speaking to her husband.
C	listening to her husband.

C ✓ (1 mark)

74

(d) She seemed …

A	happy.
B	worried.
C	carefree.

B ✓ (1 mark)

(e) The eldest son was …

A	chasing Adolphe.
B	speaking quietly.
C	trying to do some climbing.

C ✓ (1 mark)

(f) According to the passage Mme de Rênal is …

A	about 40 years old.
B	ambitious.
C	quite pretty.

C ✓ (1 mark)

75

A part-time job

5 Read what Alice says about her part-time job.

Answer the questions in **English**.

> J'ai commencé mon petit boulot dans un magasin de vêtements il y a six mois. Je sers les clients et je nettoie le magasin à la fin de la journée le samedi et le dimanche. Je m'entends très bien avec le propriétaire et je reçois dix euros par heure. J'ai économisé un peu d'argent car je voudrais m'acheter une nouvelle robe pour l'anniversaire de ma tante.

(a) When did Alice start her job?
...... 6 months ago ✓ ...... (1 mark)

(b) Where does Alice work?
...... In a clothes shop ✓ ...... (1 mark)

(c) What **two** things does she do there?
...... Serves customers ✓ and cleans the shop ✓ ......
...... (2 marks)

(d) Who does she like at work?
...... The shop owner ✓ ...... (1 mark)

(e) Why has she been saving up her money?
...... To buy a new dress (for her aunt's birthday) ✓ ...... (1 mark)

76

Celebrations

6 You read Delphine's blog about her favourite celebration.

Answer the questions in **English**.

> Noël me plaît bien et c'est sans doute ma fête préférée. J'adore décorer le sapin de Noël et j'aime donner et recevoir des cadeaux, bien sûr. L'an dernier, je suis allée à un grand marché de Noël à Colmar et j'y ai acheté une montre en or comme cadeau pour mon petit ami.
>
> La veille de Noël, normalement, toute la famille se réunit chez mon oncle où on mange un énorme repas avant d'aller à la messe de minuit. L'année prochaine tout va changer: on a décidé de passer Noël chez ma sœur aînée parce qu'elle va bientôt acheter sa propre maison.

(a) What **three** things does Delphine enjoy doing at Christmas?
...... Decorating the Christmas tree ✓ giving presents ✓ ......
...... receiving presents ✓ ......
...... (3 marks)

(b) What did she buy in Colmar for her boyfriend?
...... A gold watch ✓ ...... (1 mark)

(c) What does the family usually do before church on Christmas Eve? Give **one** detail.
...... one of: Have a big meal / eat / meet up at ......
...... Delphine's uncle's house ✓ ...... (1 mark)

(d) What will change next Christmas?
...... She will celebrate at her older sister's house ✓ (1 mark)

77

Section B
Questions and answers in **French**

Les ambitions

7 Lisez ces opinions sur des projets pour l'avenir.

Marianne:	Moi, je vais chercher un emploi comme infirmière parce que j'aimerais aider les autres. Je sais que ce n'est pas un travail bien payé, mais pour moi, ce qui importe, c'est d'être heureuse.
Paulette:	Après avoir fini mes études universitaires, je voudrais voyager un peu afin de découvrir d'autres pays différents et d'élargir mes horizons. Je ne veux pas faire comme ma mère qui s'est mariée à l'âge de dix-sept ans et qui a eu trois enfants avant d'avoir vingt-et-un ans. Je veux être plus libre.
Sylvia:	Je ne sais pas ce que je vais faire à l'avenir. Je suis trop jeune pour décider. On me dit de suivre mes rêves, mais j'en ai beaucoup!

Complétez les phrases en écrivant la bonne lettre dans la case.

(a) Marianne veut devenir …

A	médecin.
B	infirmière.
C	actrice.

B ✓ (1 mark)

(b) Marianne …

A	aimerait être contente.
B	voudrait être riche.
C	voudrait voyager.

A ✓ (1 mark)

(c) Paulette va aller …

A	aux États-Unis.
B	en Espagne.
C	à l'université.

C ✓ (1 mark)

78

(d) Paulette ne va pas …

A	faire comme sa mère.
B	découvrir d'autres pays.
C	voyager beaucoup.

A ✓ (1 mark)

(e) Paulette voudrait …

A	se marier avant l'âge de 21 ans.
B	avoir trois enfants.
C	avoir plus de liberté.

C ✓ (1 mark)

(f) Sylvia …

A	sait ce qu'elle va faire à l'avenir.
B	est très âgée.
C	a plein de rêves.

C ✓ (1 mark)

79

Une école différente

8 Amadou vous a écrit un e-mail au sujet de son collège.

Lisez l'e-mail et complétez le texte avec les mots de la liste ci-dessous.

Écrivez la bonne lettre dans chaque case.

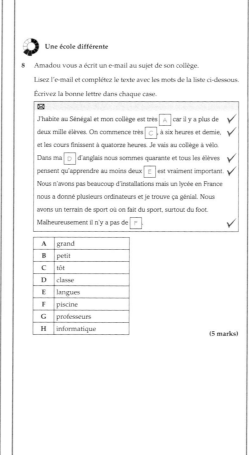

✉

J'habite au Sénégal et mon collège est très A car il y a plus de ✓
deux mille élèves. On commence très C , à six heures et demie, ✓
et les cours finissent à quatorze heures. Je vais au collège à vélo.
Dans ma D d'anglais nous sommes quarante et tous les élèves ✓
pensent qu'apprendre au moins deux E est vraiment important. ✓
Nous n'avons pas beaucoup d'installations mais un lycée en France
nous a donné plusieurs ordinateurs et je trouve ça génial. Nous
avons un terrain de sport où on fait du sport, surtout du foot.
Malheureusement il n'y a pas de F . ✓

A	grand
B	petit
C	tôt
D	classe
E	langues
F	piscine
G	professeurs
H	informatique

(5 marks)

80

Le tourisme

9 Lisez ces petites annonces sur un site Internet touristique.

Rouen:	Festival international de musique du 11 au 14 août. Entrée gratuite.
Lyon:	Festival d'art contemporain au musée Gaillard du 1er au 30 juin. Entrée 5 euros, réductions pour les groupes.
Nancy:	Festival de l'humour. Sketchs et blagues tous les soirs du 15 au 20 juillet. 12 euros.
Biarritz:	Démonstrations de planche à voile du 4 au 7 septembre à partir de 11h. Location de planche 20 euros.

Quel festival recommandez-vous à ces personnes?

A	Rouen
B	Lyon
C	Nancy
D	Biarritz

Écrivez la bonne lettre dans chaque case. **Attention!** Vous pouvez utiliser la même lettre plus d'une fois.

(a) Une personne qui aime la musique.

A ✓ (1 mark)

(b) Une personne qui veut faire du sport nautique.

D ✓ (1 mark)

(c) Une personne qui adore rire.

C ✓ (1 mark)

(d) Une personne qui n'a pas d'argent.

A ✓ (1 mark)

(e) Une personne qui aime regarder des peintures.

B ✓ (1 mark)

(f) Une personne qui a besoin de louer un équipement.

D ✓ (1 mark)

81

Section C
Translation into **English**

10 Your French friend has sent you this message. Your brother asks you to translate it into **English** for him.

J'aime aller en vacances. D'habitude je vais en Angleterre avec mes parents. Nous faisons du camping parce que nous aimons le plein air. L'année dernière je suis allé au bord de la mer en Écosse. C'était formidable mais il a fait assez froid.

I like going on holiday ✓ . Usually I go to England ✓ with my parents. ✓ We go camping ✓ because we like the open air ✓ Last year I went ✓ to the seaside ✓ in Scotland ✓ . It was great but it was quite cold ✓

(9 marks)

82

Set B Writing Foundation practice paper
Time allowed: 1 hour

The maximum mark for this paper is 50.
Answer all questions in **French**

Un tournoi sportif

1 Vous envoyez une photo à votre ami(e) français(e).

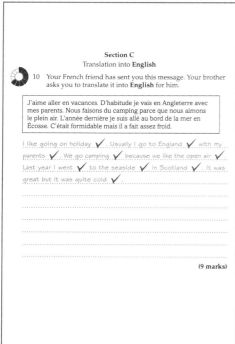

Qu'est-ce qu'il y a sur la photo? Écrivez **quatre** phrases en **français**.

1 Il y a des filles. (2 marks)
2 Elles sont dans un centre sportif. (2 marks)
3 Elles jouent au basket. (2 marks)
4 Je crois qu'elles sont sérieuses. (2 marks)

83

Un festival de musique

2 Vous envoyez un e-mail à votre ami(e) français(e) sur un festival de musique en Suisse.

Mentionnez:
• votre instrument de musique préféré
• ce que vous faites au festival
• la musique que vous aimez
• pourquoi vous voulez aller en Suisse.

Écrivez environ **40** mots en **français**.

Je joue de la clarinette mais je préfère le piano. Je joue dans un orchestre au festival. J'aime la musique classique car je trouve ça très relaxant. Je veux aller en Suisse parce que je veux voir les montagnes quand j'aurai du temps libre.

(16 marks)

84

Ma région

3 Translate the following sentences into **French**.

(a) I like my town.
   J'aime ma ville.

(b) There are lots of shops.
   Il y a beaucoup de magasins.

(c) The sports centre is new.
   Le centre sportif est nouveau.

(d) I don't like visiting the museum.
   Je n'aime pas visiter le musée.

(e) Yesterday I went to the castle and it was interesting.
   Hier, je suis allé(e) au château et c'était intéressant.

(10 marks)

85

Answer **either** Question 4.1 **or** Question 4.2.
You must **not** answer **both** of these questions.

EITHER Question 4.1

Q 4.1

Mon école

Vous décrivez votre vie scolaire pour votre blog.
Décrivez:

• votre opinion sur votre école
• ce que vous avez fait récemment au collège
• votre matière préférée et pourquoi
• vos projets pour votre éducation à l'avenir.

Écrivez environ **90** mots en **français**. Répondez à chaque aspect de la question.

J'aime mon école parce que les profs sont gentils et très
compréhensifs et ils m'aident tout le temps. Il y a un bon
centre sportif et beaucoup de salles de classe bien équipées.
Récemment, j'ai joué au foot pour mon équipe scolaire et
heureusement, nous avons gagné le match. Je préfère l'histoire
car c'est fascinant et j'aime aussi les langues parce qu'elles
sont utiles dans la vie. Je voudrais réussir mon bac puis aller
à l'université où j'aimerais étudier l'anglais ou peut-être
la sociologie.

(16 marks)

86

OR Question 4.2

Q 4.2

Les vacances

Vous décrivez les vacances pour votre blog.
Décrivez:

• ce que vous aimez faire en vacances
• où vous avez passé vos vacances l'année dernière
• pourquoi les vacances sont importantes
• vos projets de vacances pour l'année prochaine.

Écrivez environ **90** mots en **français**. Répondez à chaque aspect de la question.

Quand je suis en vacances j'aime me détendre. Je me fais
bronzer à côté de la piscine ou sur la plage et je lis un magazine
ou un bon livre. L'année dernière je suis allé(e) à Rome avec ma
famille. Nous avons logé dans un appartement luxueux au centre
et j'ai tout visité. C'était fantastique et il a fait chaud! À mon
avis, les vacances sont importantes car on peut oublier les
problèmes de la vie quotidienne et aussi découvrir la culture
d'un autre pays. L'année prochaine, je vais aller au Portugal avec
un groupe d'amis et j'espère m'amuser.

(16 marks)

87

Set B Listening Higher practice paper
Time allowed: 45 minutes
(including 5 minutes' reading time before the test)

The maximum mark for this paper is 50.
Section A
Questions and answers in English

 Christmas celebrations

1 Your exchange partner's friends are talking about Christmas. Complete the sentences by choosing the correct answer. Write the letter in the box.

Part 1

(a) Alice spends Christmas Eve …

A	with her mother.
B	with her father.
C	with both her parents.

B ✓ (1 mark)

(b) She is …

A	always happy at Christmas.
B	fed up because she doesn't get enough presents.
C	sad even though she gets lots of presents.

C ✓ (1 mark)

Part 2

(a) Yannick used to …

A	look forward to Christmas.
B	go to a shopping centre to buy presents.
C	attend a church service.

A ✓ (1 mark)

(b) He doesn't like …

A	getting presents associated with technology.
B	the fact that people always want the latest models of technological devices.
C	not seeing his friends at Christmas.

B ✓ (1 mark)

88

 Environmental issues

2 You listen to Pauline, your French exchange partner, discussing the environment with her brother.

Choose **four** sentences which are **true** and write the correct letters in the boxes.

A	Pauline thinks global warming is threatening animals with extinction.
B	Her brother believes that global warming is the biggest environmental issue.
C	Pauline thinks that people are selfish.
D	She believes that lots has been done to help animals in danger.
E	Her brother mentions droughts in some countries.
F	He is not concerned about rising sea levels.
G	Pauline mentions islands which are under threat.
H	Pauline mentions deforestation.

 ✓ C ✓ E ✓ H ✓ *in any order* **(4 marks)**

89

 Holiday accommodation

3 While staying with friends in France, you hear a radio phone-in programme on holiday accommodation.
For each call, give **one** positive and **one** negative aspect of the accommodation mentioned.

Person	Positive	Negative
Annick	the play area ✓	the showers were cold ✓
Robin	the service ✓	noise at night ✓
Lucie	the view ✓	no swimming pool ✓

(6 marks)

 Smoking

4 In your Canadian friend's lesson the teacher is discussing smoking with the class.
Listen to what is said, then answer the questions in **English**.

(a) When did the teacher start smoking?
   When she was 16. ✓ **(1 mark)**

(b) Why did she start?
   She followed her father's example. ✓ **(1 mark)**

(c) What did the girl's parents do to stop her smoking?
   Warned her of the dangers of smoking. ✓ **(1 mark)**

(d) What does she particularly dislike?
   The smell of cigarettes. ✓ **(1 mark)**

(e) When did the boy start smoking?
   6 months ago. ✓ **(1 mark)**

(f) Why did he start?
   Peer pressure / His friends kept offering him cigarettes. ✓ **(1 mark)**

90

Social networks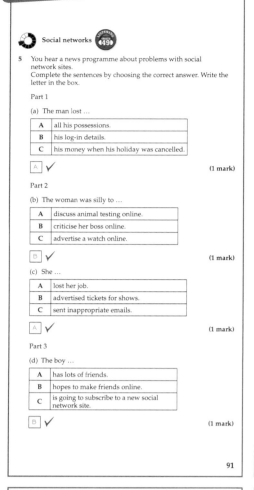

5 You hear a news programme about problems with social network sites.
Complete the sentences by choosing the correct answer. Write the letter in the box.

Part 1

(a) The man lost …

A	all his possessions.
B	his log-in details.
C	his money when his holiday was cancelled.

A ✓ **(1 mark)**

Part 2

(b) The woman was silly to …

A	discuss animal testing online.
B	criticise her boss online.
C	advertise a watch online.

B ✓ **(1 mark)**

(c) She …

A	lost her job.
B	advertised tickets for shows.
C	sent inappropriate emails.

A ✓ **(1 mark)**

Part 3

(d) The boy …

A	has lots of friends.
B	hopes to make friends online.
C	is going to subscribe to a new social network site.

B ✓ **(1 mark)**

91

Choosing subjects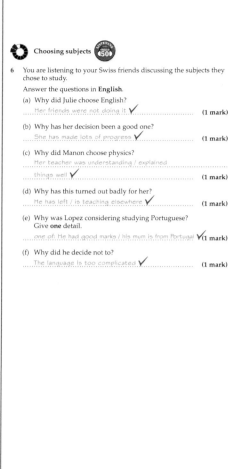

6 You are listening to your Swiss friends discussing the subjects they chose to study.

Answer the questions in **English**.

(a) Why did Julie choose English?
Her friends were not doing it. ✓ **(1 mark)**

(b) Why has her decision been a good one?
She has made lots of progress. ✓ **(1 mark)**

(c) Why did Manon choose physics?
Her teacher was understanding / explained things well ✓ **(1 mark)**

(d) Why has this turned out badly for her?
He has left / is teaching elsewhere ✓ **(1 mark)**

(e) Why was Lopez considering studying Portuguese? Give **one** detail.
one of: He had good marks / his mum is from Portugal ✓ **(1 mark)**

(f) Why did he decide not to?
The language is too complicated ✓ **(1 mark)**

92

Weather problems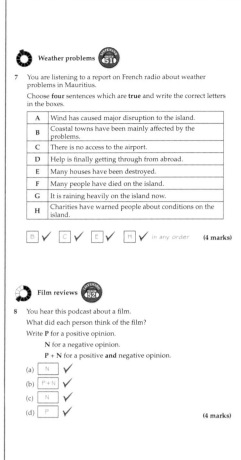

7 You are listening to a report on French radio about weather problems in Mauritius.

Choose **four** sentences which are **true** and write the correct letters in the boxes.

A	Wind has caused major disruption to the island.
B	Coastal towns have been mainly affected by the problems.
C	There is no access to the airport.
D	Help is finally getting through from abroad.
E	Many houses have been destroyed.
F	Many people have died on the island.
G	It is raining heavily on the island now.
H	Charities have warned people about conditions on the island.

B ✓ C ✓ E ✓ H ✓ in any order **(4 marks)**

Film reviews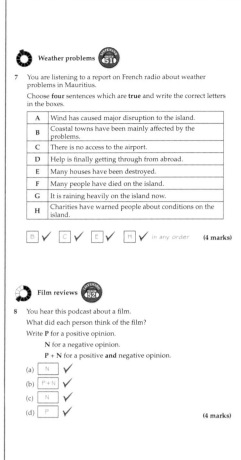

8 You hear this podcast about a film.
What did each person think of the film?
Write **P** for a positive opinion.
N for a negative opinion.
P + N for a positive **and** negative opinion.

(a) N ✓
(b) P+N ✓
(c) N ✓
(d) P ✓ **(4 marks)**

93

Section B
Questions and answers in **French**

Ma ville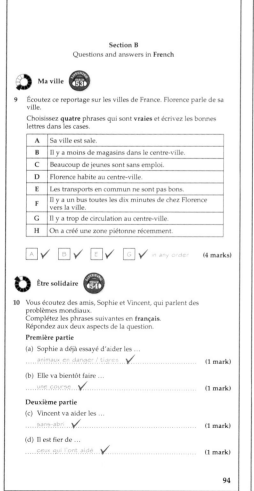

9 Écoutez ce reportage sur les villes de France. Florence parle de sa ville.

Choisissez **quatre** phrases qui sont **vraies** et écrivez les bonnes lettres dans les cases.

A	Sa ville est sale.
B	Il y a moins de magasins dans le centre-ville.
C	Beaucoup de jeunes sont sans emploi.
D	Florence habite au centre-ville.
E	Les transports en commun ne sont pas bons.
F	Il y a un bus toutes les dix minutes de chez Florence vers la ville.
G	Il y a trop de circulation au centre-ville.
H	On a créé une zone piétonne récemment.

A ✓ B ✓ E ✓ G ✓ in any order **(4 marks)**

Être solidaire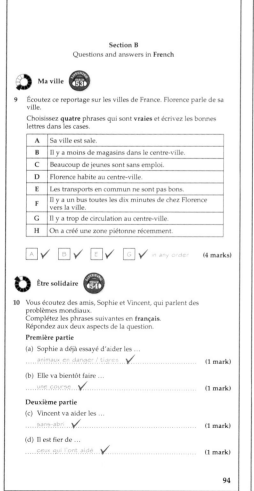

10 Vous écoutez des amis, Sophie et Vincent, qui parlent des problèmes mondiaux.
Complétez les phrases suivantes en **français**.
Répondez aux deux aspects de la question.

Première partie

(a) Sophie a déjà essayé d'aider les …
animaux en danger / tigres ✓ **(1 mark)**

(b) Elle va bientôt faire …
une course ✓ **(1 mark)**

Deuxième partie

(c) Vincent va aider les …
sans-abri ✓ **(1 mark)**

(d) Il est fier de …
ceux qui l'ont aidé ✓ **(1 mark)**

94

Le travail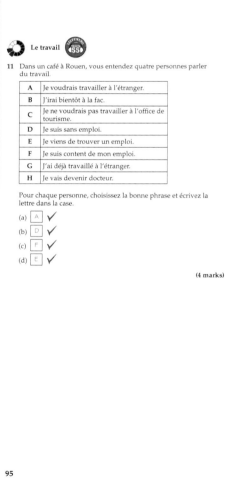

11 Dans un café à Rouen, vous entendez quatre personnes parler du travail.

A	Je voudrais travailler à l'étranger.
B	J'irai bientôt à la fac.
C	Je ne voudrais pas travailler à l'office de tourisme.
D	Je suis sans emploi.
E	Je viens de trouver un emploi.
F	Je suis content de mon emploi.
G	J'ai déjà travaillé à l'étranger.
H	Je vais devenir docteur.

Pour chaque personne, choisissez la bonne phrase et écrivez la lettre dans la case.

(a) A ✓
(b) D ✓
(c) F ✓
(d) E ✓ **(4 marks)**

95

Set B Speaking Higher practice paper

Time allowed: 7–9 minutes
(+12 minutes' supervised preparation time)

Role-play: Tourist office

Instructions to candidates

Your teacher will play the part of the tourist office employee and will speak first. You should address the employee as *vous*.

Where you see this – **!** – you will have to respond to something you have not prepared.

Where you see this – **?** – you will have to ask a question.

> Vous parlez avec un(e) employé(e) dans un office du tourisme en France.
> • Logement – où en ce moment (**un** détail).
> • **?** Les transports en commun.
> • Activités demain (**deux** détails).
> • Visite – hier (**deux** détails).
> • **!**

Prepare your answer in this space, using the prompts above. Then play the audio file of the teacher's part and speak your answer in the pauses. You can find a full sample answer of another student's response in the answer section.

Teacher script and sample answers

T: Je peux vous aider?
S: En ce moment je loge à l'hôtel de la Gare.
T: Ah oui. Et qu'est-ce que vous voulez?
S: À quelle heure part le dernier train pour le château de Versailles?
T: À dix-neuf heures trente. Vous avez des projets pour demain?
S: Demain je vais aller au ciné car on y passe un bon film comique.
T: C'est bien ça. Qu'est-ce que vous avez fait hier?
S: Hier, j'ai visité le musée le matin et l'après-midi, je suis allé à la cathédrale.
T: Je vois. Que pensez-vous de notre ville?
S: C'est beau.

96

Photo card: Celebrations

- Look at the photo during the preparation period.
- Make any notes you wish to on an Additional Answer Sheet.
- Your teacher will then ask you questions about the photo and about topics related to **celebrations**.

Your teacher will ask you the following three questions and then **two more questions** which you have not prepared.

- Qu'est-ce qu'il y a sur la photo?
- Est-ce que tu es allé(e) à un mariage récemment?
- Est-il important d'avoir une fête nationale? Pourquoi/pourquoi pas?

Prepare your answer in this space, using the prompts above. Then play the audio file of the teacher's part and speak your answer in the pauses. You can find a full sample answer of another student's response in the answer section.

Teacher script and sample answers

- Qu'est-ce qu'il y a sur la photo?
  Sur la photo il y a un mariage. Je vois le mari qui porte un costume et sa femme qui est habillée en blanc. Elle a des fleurs à la main et tout le monde est chic.
- Est-ce que tu es allé(e) à un mariage récemment?
  Il y a deux mois je suis allé au mariage de ma cousine. Elle s'est mariée au bord de la mer dans un château et je me suis très bien amusé.
- Est-il important d'avoir une fête nationale? Pourquoi/pourquoi pas?
  À mon avis, ce n'est pas important d'avoir une fête nationale. Par contre, je crois qu'il est important d'avoir le sentiment de faire partie de la société car l'idée d'appartenir est essentiel de nos jours.
- Tu voudrais te marier à l'avenir? Pourquoi/pourquoi pas?
  Je vais me marier un jour si je rencontre le partenaire de mes rêves et j'aimerais aussi avoir deux enfants. Je crois que le mariage est important pour montrer son amour.
- Comment est-ce que tu fêtes ton anniversaire normalement?
  D'habitude, mes parents organisent une fête pour moi chez nous et je reçois des cartes et des cadeaux de ma famille et de mes copains. C'est génial.

97

General conversation

1 Qu'est-ce que tes parents font dans la vie?
2 Quel est ton travail idéal? Pourquoi?
3 Quel travail est-ce que tu voulais faire quand tu étais plus jeune?
4 Quels sont tes plus grands accomplissements au collège?
5 Que penses-tu des échanges scolaires?
6 Tu fais partie d'un club au collège?

Prepare your answer in this space, using the prompts above. Then play the audio file of the teacher's part and speak your answer in the pauses. You can find a full sample answer of another student's response in the answer section.

Sample answers

1 Mon père est mécanicien et il aime bien son emploi car c'est bien payé. Par contre, ma mère, qui est secrétaire, trouve son travail assez barbant et elle voudrait être institutrice.
2 Mon emploi idéal serait médecin car je pourrais ainsi aider les malades. Je sais qu'il faut faire une formation longue et qu'on doit être très habile, mais j'aimerais bien essayer de suivre mon rêve.
3 Quand j'étais plus jeune, je voulais devenir astronaute parce que c'est un métier passionnant, ou peut-être joueur de foot professionnel, mais malheureusement je ne joue pas bien.
4 J'ai toujours fait de mon mieux à l'école, alors je suis fier de mes efforts. J'ai eu de bonnes notes dans plusieurs matières et j'ai aussi joué au foot pour l'équipe du collège.
5 Je n'ai jamais participé à un échange scolaire mais je voudrais y participer un jour, car je pense que je pourrais élargir mes horizons en découvrant la culture et le mode de vie d'un pays différent. Je pourrais aussi améliorer mes compétences linguistiques.
6 Je fais partie d'un club d'athlétisme – je m'entraîne deux fois par semaine en été – et je suis membre du club de danse aussi. Je pense qu'il est important de participer à des activités parascolaires.

98

Set B Reading Higher practice paper
Time allowed: 1 hour
The maximum mark for this paper is 60.

Section A
Questions and answers in **English**

Using the internet

1 A newspaper has published the results of an online survey about using the internet in France. Read the summary of the results.

> Nous avons demandé aux ados: «Pourquoi est-ce que vous utilisez Internet?»
> Les réponses qu'on a reçues étaient intéressantes.
> - 95% des jeunes utilisent Internet tous les jours.
> - La majorité, c'est-à-dire cinquante-neuf pour cent, utilise Internet afin de faire des jeux. Certains y sont accros.
> - 50% regardent des clips vidéo, surtout des clips comiques, en ligne.
> - 35% tchattent sur des forums.
> - 30% téléchargent des chansons.
> - 25% font des recherches scolaires en ligne, mais on dit qu'ils acceptent trop facilement ce qu'on y met comme étant la vérité.
> - Moins de 5% disent qu'ils utilisent Internet pour se faire de nouveaux amis.

What percentage of people use the internet for the following reasons?
Complete the boxes.

(a) To help with school work [25] % ✓ **(1 mark)**

(b) To play games [59] % ✓ **(1 mark)**

(c) To download music [30] % ✓ **(1 mark)**

(d) What is the least popular reason? Answer in **English**.
To make new friends ✓ **(1 mark)**

99

Future plans

2 You read this blog by Suzanne on a Belgian website.

> Je vais prendre une année sabbatique. J'ai enfin pris la décision après y avoir longtemps pensé. Ce sera une expérience à la fois divertissante et enrichissante, ce qui me donnera plein de confiance et aussi je deviendrai plus autonome.
>
> Ayant fini mon année à l'étranger, peut-être en Afrique, je serai sans doute prête à recommencer mes études. J'ai des inquiétudes, c'est vrai. Par exemple serai-je un peu isolée ou même aurai-je peur? Qui sait? Pourtant, je sais que je vais passer une année stimulante avant de travailler dur à la fac.

Choose the correct answer to complete each sentence and write the letter in the box.

(a) Suzanne's decision to take a gap year was ...

A	easy to make.
B	a difficult one.
C	influenced by her friends.

[B] ✓ **(1 mark)**

(b) She thinks that taking a gap year will help her ...

A	be more independent.
B	be more intelligent.
C	earn more money.

[A] ✓ **(1 mark)**

(c) She feels that after her gap year she will ...

A	find university difficult.
B	be unprepared for studying again.
C	be ready to study again.

[C] ✓ **(1 mark)**

(d) She worries about ...

A	being lonely.
B	making mistakes.
C	getting lost.

[A] ✓ **(1 mark)**

100

A nightmare holiday

3 You read this blog about Millie's disastrous holiday in London.

> Le jour du départ, l'aéroport de Montréal était entouré d'un brouillard épais et notre vol a été retardé, ce qui m'a vraiment énervée.
>
> J'ai trouvé le vol difficile car j'ai le mal de l'air, alors je n'ai rien mangé et le vol était tellement long!
>
> Enfin arrivés à Londres, on a eu du mal à trouver une voiture à louer car il y avait une grève. Mon père était de mauvaise humeur pendant le trajet en taxi de l'aéroport.
>
> Pour comble de malchance, nos chambres d'hôtel étaient sales, avec des poils de chien partout, même si les repas au restaurant étaient délicieux et pas trop épicés.
>
> Je vais retourner à Londres le mois prochain avec mon équipe de tennis. J'espère que tout ira mieux!

Complete the grid below **in English** to indicate what the problems were and why.

	Problem	Reason
(a) At the airport	Flight delayed ✓	(thick) fog ✓
(b) On the flight	Millie could not eat ✓	Air sickness ✓
(c) At the London airport	Had difficulty renting a car ✓	Strike ✓
(d) At the hotel	Hotel rooms dirty ✓	Dog hair everywhere ✓

(8 marks)

101

Being green

4 While on holiday in France you read this magazine article.

> Il est vraiment facile d'être plus écolo!
> De nos jours, tout le monde parle de choses qui ne sont pas du tout concrètes comme le changement climatique, le réchauffement de la Terre ou l'empreinte carbone. La vérité, c'est que les gestes de toute la population menacent notre monde, mais il ne faut pas s'inquiéter car il existe toute une liste de choses qu'on peut faire afin de protéger la planète.
> Premièrement, un geste qui aide l'environnement mais aussi économise de l'argent, c'est réduire la consommation d'énergie. Éteignez la lumière en quittant une pièce et baissez le chauffage. Pour économiser de l'eau, essayez de toujours arroser les fleurs et les plantes du jardin avec l'eau de rinçage des légumes!
> Un autre problème grave c'est les déchets. Au supermarché, n'achetez pas les produits trop emballés et respectez la nature, par exemple ne jetez jamais des papiers par terre.
> De plus, choisissez plutôt les transports en commun au lieu de prendre la voiture et surtout, sensibilisez les jeunes en leur montrant le bon exemple, car il faut qu'à l'avenir ils fassent aussi un effort pour sauver notre planète!

Answer the questions in **English**.

(a) How does the author describe the environmental problems we talk about?
Abstract / hard to imagine / not concrete ✓ **(1 mark)**

(b) Give one example of an environmental problem the author mentions.
one of: Global warming / carbon footprint / climate change ✓ **(1 mark)**

(c) What benefit does the author say you could gain from saving energy?
You can save money ✓ **(1 mark)**

(d) What tip is given for saving water?
Water plants with the water used to rinse vegetables ✓ **(1 mark)**

(e) What should you not buy at the supermarket, according to the article?
Products with too much packaging ✓ **(1 mark)**

(f) What example is mentioned in relation to respecting nature?
Don't drop litter on the floor ✓ **(1 mark)**

(g) How can you make an ecological gesture in terms of transport?
Use public transport (rather than the car) ✓ **(1 mark)**

(h) What is the main tip given at the end of the article?
Show young people a good example ✓ **(1 mark)**

102

Relationships

5 Read these posts by two students from your partner school in France. They are talking about their opinions on relationships.

> Si on reste célibataire, on a plus de liberté. Avant de fonder une famille, je crois prudent de se marier car les recherches sociologiques nous ont montré que le mariage permet à tous d'avoir des rapports plus solides. Moi, je choisirai de me marier un jour, mais puisque ma famille est traditionnelle, on fera ça à l'église afin de lui faire plaisir. En revanche, je ne voudrais pas la responsabilité d'avoir des enfants.
> **Lucas**

(a) Which **two** statements are true? Write the letters in the boxes.

A	Lucas is going to remain single as it will give him more freedom.
B	He thinks that marriage creates more stable relationships.
C	He comes from a big family.
D	He wants to please his family.
E	He plans to have children.

B ✓ D ✓ in any order **(2 marks)**

> Quand on se met en couple, on veut tout simplement vivre ensemble, alors pourquoi se marier? Je pense qu'on peut vivre en concubinage et être content et fidèle. Il ne faut pas se marier juste pour montrer son amour à tout le monde. En ce moment, je n'ai pas de petit ami et je suis libre de sortir avec n'importe qui, mais à l'avenir, si je trouve un partenaire sympa, je préférerais vivre en concubinage. Selon moi, c'est la façon dont je pourrais lui exprimer mon amour sans avoir besoin de sécurité supplémentaire pour pouvoir être heureuse.
> **Magali**

(b) Which **two** statements are true? Write the letters in the boxes.

A	Magali thinks marriage is important for everyone.
B	She says that being faithful is best achieved through marriage.
C	She says that you shouldn't get married just to show your love for a partner to everyone.
D	She does not have a boyfriend at present.
E	She thinks that the extra security of marriage brings happiness.

C ✓ D ✓ in any order **(2 marks)**

103

 A complicated young woman

6 Read this extract from *Le père Goriot* by Honoré de Balzac. Answer the questions in **English**.

> Victorine est entrée dans le vestibule. Elle était très mince aux cheveux blonds. Ses yeux gris mélangés de noir étaient à la fois tristes et doux. Ses vêtements peu coûteux trahissaient des formes jeunes. Heureuse, elle aurait été ravissante et elle aurait pu lutter avec les plus belles jeunes filles. Il lui manquait ce qui crée la vraie beauté - elle n'était ni timide ni confiante. Son père croyait avoir des raisons pour ne pas la reconnaître, refusait de la garder près de lui, ne lui accordait que six cents francs par an, et avait dénaturé sa fortune, car il voulait la donner en entier à son fils. Parente éloignée de la mère de Victorine, qui jadis* était venue mourir de désespoir chez elle, Madame Couture, la propriétaire de pensionnat où elle vivait, prenait soin de l'orpheline comme de son enfant.
>
> *jadis = in the past

(Adapted and abridged from *Le père Goriot* by Honoré de Balzac)

(a) What contradiction could be seen in Victorine's eyes?
Sad and soft / gentle ✓ **(1 mark)**

(b) What does the author say about her clothes?
They are inexpensive ✓ **(1 mark)**

(c) What would make Victorine into a real beauty, according to the author? Give **two** details.
Either shyness ✓
or confidence / happiness ✓ **(2 marks)**

(d) Why had her father disinherited her?
He wanted to leave all his money to his son ✓ **(1 mark)**

(e) What had happened to her mother?
Died (of despair) ✓ **(1 mark)**

(f) What role had Madame Couture taken in her life?
Replacement mother ✓ **(1 mark)**

104

 Films

7 Read what these two people say in a forum about films. Identify the people.

Write **A** (Alice)

B (Bernard)

A + B (Alice + Bernard)

> Alice: Je préfère regarder des films chez moi car c'est plus pratique. On peut y être plus à l'aise et faire ce qu'on veut.

> Bernard: Moi j'aime mieux ne pas sortir au ciné. Le grand écran me ne dit rien. Par contre, à la maison on peut bien se marrer avec ses copains.

1 Who prefers watching films at home? A+B ✓ **(1 mark)**

> Alice: Moi, je me passionne pour les films d'arts martiaux mais je ne supporte pas les films d'épouvante. La semaine dernière, on est allés au ciné regarder le film *Chasse à l'homme* et c'était très bien.

> Bernard: Les films romantiques sont abominables, mais j'aime bien les films comiques. Dimanche je vais aller au ciné revoir *Le dîner de cons*.

2 Who will soon be going to the cinema? B ✓ **(1 mark)**

> Alice: Selon moi, un film devrait divertir plutôt qu'informer. Je veux tout simplement m'échapper de la vie de tous les jours en regardant n'importe quel film.

> Bernard: Moi, j'aime bien les films qui vous font penser, alors j'adore les films de Buñuel car ils sont pleins de subtilité.

3 Who likes to forget daily problems when watching a film? A ✓ **(1 mark)**

105

Section B
Questions and answers in **French**

 Le stress à l'école

8 Vous lisez un article sur le stress dans un magazine belge.

> **Le contrôle du stress**
>
> Il faut d'abord savoir que nous vivons tous un stress généré par nos conditions de vie. Il existe donc en nous, au départ, un certain niveau de stress. Le stress de l'examen ne fait que s'ajouter au stress déjà existant.
>
> En d'autres termes, selon ce qui vous arrive dans la vie, vous vous présentez à un examen avec un niveau de stress initial déjà plus ou moins élevé. Plus celui-ci est élevé, plus il sera facile de dépasser le niveau critique de stress.
>
> Il n'y a pas de mauvaises méthodes pour se détendre. Avant un examen, on devrait avoir assez de sommeil la veille et on pourrait faire de l'exercice physique ou même passer quelques bons moments en famille.
>
> Il peut être efficace de prendre quelques minutes pendant un examen pour vous rappeler un moment agréable que vous avez vécu, un moment de détente où vous vous sentiez particulièrement bien. Commencez par retrouver les images de ce moment où vous vous sentiez bien; en d'autres termes, revoyez l'endroit où vous étiez. Puis pensez aux bruits, aux sons associés à ce souvenir; enfin, retrouvez les autres sensations (détente, bien-être) que vous viviez à ce moment-là.

Répondez aux questions en **français**.

(a) Selon l'article, qu'est-ce qui cause le stress?
Les conditions de vie ✓ **(1 mark)**

(b) Que faut-il faire la veille d'un examen?
Avoir assez de sommeil ✓ **(1 mark)**

(c) Que pourrait-on aussi faire avant un examen pour se détendre? Donnez **deux** détails.
Faire de l'exercice ✓ et passer du temps
en famille ✓ **(2 marks)**

106

(d) Qu'est-ce qu'on propose de faire pendant un examen?
Se rappeler un moment agréable du passé ✓ **(1 mark)**

(e) Pourquoi est-ce qu'on fait référence au bruit?
Il faut penser aux sons associés au bon souvenir ✓ **(1 mark)**

 Faire du bénévolat

9 Lisez ce texte sur le travail bénévole.
Complétez le texte avec les mots de la liste ci-dessous.
Écrivez la bonne lettre dans chaque case.

> Si on veut faire une différence, on peut C à faire du bénévolat ✓
>
> pour une association A comme Oxfam. On demande toujours ✓
>
> des bénévoles qui F dans ses magasins dans presque chaque ✓
>
> ville. C'est une D facile d'aider ceux qui n'ont pas grand-chose. ✓

(4 marks)

A	caritative
B	personne
C	commencer
D	façon
E	compréhensif
F	travaillent
G	décider
H	achètent

107

 Être en forme en janvier

10 Vous lisez ce blog de Polly sur la santé.

> Il vaudrait mieux ne pas boire d'alcool car c'est une drogue et il est très facile d'y devenir accro. Après avoir fêté Noël, on devrait se désintoxiquer. Il faudrait aussi qu'on retourne à la salle de sport afin de retrouver la forme, mais faites attention à ne pas faire trop d'exercice au début.
>
> Pourquoi ne pas suivre un régime? Consommez moins de sucreries et plus de nourriture bio comme des légumes de saison. Comme ça, on perdra du poids et on se sentira mieux!

Écrivez la bonne lettre dans la case.

(a) Polly dit qu'en janvier, il vaut mieux …

A	éviter la drogue.
B	éviter le vin et la bière.
C	éviter le tabac.

B ✓ **(1 mark)**

(b) Elle dit que pour commencer, il faut …

A	faire beaucoup d'exercice physique.
B	faire de la musculation tous les jours.
C	faire un peu d'exercice.

C ✓ **(1 mark)**

(c) Selon elle, on doit …

A	prendre du poids.
B	manger plus de sucre.
C	consommer plus de légumes.

C ✓ **(1 mark)**

108

Section C
Translation into English

11 Your brother has seen this post on Facebook and asks you to translate it for him into **English**.

> Mes copains vont souvent à la patinoire dans la ville voisine. Il est embêtant de ne pas en avoir une près de chez nous. On vient de faire bâtir un nouveau centre commercial, mais à mon avis, il vaudrait mieux qu'on construise un centre sportif car il n'y a rien à faire ici si on est jeune.

My friends often go to the ice rink ✓ in the neighbouring town ✓. It's annoying not to have one near to our house / where we live ✓. They have just built ✓ a new shopping centre ✓ but in my opinion ✓ it would be better to build a new sports centre ✓ because there is nothing to do here ✓ if you are young ✓.

(9 marks)

109

Set B Writing Higher practice paper

Time allowed: 1 hour 15 minutes

The maximum mark for this paper is 60.
Answer all questions in **French**

Answer **either** Question 1.1 **or** Question 1.2.
You must **not** answer **both** of these questions.

EITHER Question 1.1

Q 1.1

Le temps libre

Vous décrivez votre temps libre pour votre blog.
Décrivez:
- vos émissions préférées à la télé
- ce que vous n'aimez pas faire et pourquoi
- une activité récente
- un nouveau passe-temps que vous aimeriez essayer et pourquoi.

Écrivez environ **90** mots en **français**. Répondez à chaque aspect de la question.

J'aime regarder les émissions de télé-réalité car je les trouve amusantes, mais je préfère les documentaires sur les animaux, surtout en Afrique. Par contre, je déteste écouter de la musique parce que ce n'est pas intéressant, et je ne joue pas d'un instrument.

Samedi dernier, je suis allé(e) au ciné avec mon meilleur ami et nous avons vu un bon film d'action qui m'a plu. À l'avenir, j'aimerais bien essayer de faire de la planche à voile. J'aime les sports nautiques et je voudrais passer du temps au bord de la mer avec mes copains.

(16 marks)

110

OR Question 1.2

Q 1.2

La vie d'adolescent

Vous décrivez votre vie d'adolescent pour votre blog.
Décrivez:
- votre personnalité
- ce que vous aimez faire quand vous sortez avec des amis
- un emploi que vous avez eu
- vos projets d'avenir.

Écrivez environ **90** mots en **français**. Répondez à chaque aspect de la question.

On dit que je suis très bavard(e) et aussi assez drôle et gentil(le), mais selon ma mère je suis autoritaire. Quand je sors avec mes amis, j'aime surtout aller à la piscine où j'adore nager et j'aime également faire les magasins en ville ou regarder un film. Je travaillais dans un supermarché le samedi matin et c'était intéressant, mais maintenant j'ai trop de travail scolaire, alors je n'ai pas de petit job.

À l'avenir, après avoir quitté l'école, je voyagerai beaucoup à l'étranger parce que j'aimerais découvrir des cultures différentes.

(16 marks)

111

Answer **either** Question 2.1 **or** Question 2.2.
You must **not** answer **both** of these questions.

EITHER Question 2.1

Q 2.1

Les vacances

Vous écrivez un article sur les vacances pour un magazine français.
Décrivez:
- ce que vous aimez faire en vacances et pourquoi
- des vacances difficiles que vous avez passées.

Écrivez environ **150** mots en **français**. Répondez aux deux aspects de la question.

Quand je pars en vacances, je préfère aller au bord de la mer car je peux me détendre. J'aime bien me faire bronzer à la plage ou lire un roman policier, allongé(e) près d'une piscine chauffée. Cet été, j'irai en Espagne avec ma famille et nous nous amuserons bien à ne rien faire. De temps en temps je fais du vélo ou je vais en ville faire des achats, mais je n'aime pas les vacances actives parce que les vacances me donnent l'occasion d'oublier mes ennuis.

L'année dernière, on a fait du camping au pays de Galles et c'était désastreux. Il a plu tout le temps et on a dû rester sous la tente où je me suis vite ennuyé(e). Un jour, on a essayé de faire une excursion à la montagne mais la voiture est tombée en panne et mon père s'est fâché. Je ne voudrais plus jamais faire du camping!

(32 marks)

112

OR Question 2.2

Q 2.2

La santé

Vous écrivez un article sur la santé pour un magazine français.
Décrivez:
- pourquoi être en bonne santé est important
- ce que vous ferez à l'avenir pour améliorer votre forme.

Écrivez environ **150** mots en **français**. Répondez aux deux aspects de la question.

À mon avis il est vraiment important de manger sainement, alors avant de quitter la maison le matin je prends des céréales et des fruits. De plus, j'évite les boissons sucrées et je ne grignote jamais entre les repas. Naturellement, je n'ai jamais fumé car on peut vite devenir accro. Récemment mon père a décidé d'arrêter de fumer parce que c'est mauvais pour la santé. Je fais plein d'exercice et je viens de m'inscrire à une salle de gym qui se trouve tout près de chez nous.

À l'avenir, je ne boirai pas trop d'alcool vu que c'est une habitude malsaine, et je vais essayer d'améliorer ma forme en faisant plus de sport. J'ai l'intention de commencer à jouer au foot pour une équipe locale avec plusieurs copains et je crois que ce sera non seulement marrant mais aussi bon pour la santé.

(32 marks)

113

Q 3

Translation: Le temps libre

Translate the following passage into **French**.

> Last week I went to a classical music concert with my best friend. Her father took us there by car. It was excellent and we had a good time together. Next weekend I intend to go to the seaside with my brother. I will go windsurfing but he prefers to sunbathe near the lake.

La semaine dernière, je suis allé(e) à un concert de musique classique avec ma meilleure copine. Son père nous y a emmené(e)s en voiture. C'était excellent et nous nous sommes bien amusé(e)s ensemble. Le week-end prochain, j'ai l'intention d'aller au bord de la mer avec mon frère. Je ferai de la planche à voile mais il préfère se faire bronzer près du lac.

(12 marks)

114

133

Published by Pearson Education Limited, 80 Strand, London, WC2R 0RL.

www.pearsonschoolsandfecolleges.co.uk

Copies of official specifications for all Pearson qualifications may be found on the website: qualifications.pearson.com

Text and illustrations © Pearson Education Ltd 2018
Typeset and illustrated by York Publishing Solutions Pvt. Ltd., India
Editorial and project management services by Haremi Ltd
Cover illustration by Miriam Sturdee

The right of Stuart Glover to be identified as author of this work has been asserted by him in accordance with the Copyright, Designs and Patents Act 1988.

First published 2018

21 20 19 18
10 9 8 7 6 5 4 3 2 1

British Library Cataloguing in Publication Data
A catalogue record for this book is available from the British Library

ISBN 978 1 292 21324 8

Printed in Italy by L.E.G.O. S.p.A

Acknowledgements
The author and publisher would like to thank the following individuals and organisations for their kind permission to reproduce copyright material.
Page 044, 122: « Les Daft Punk sont-ils fiers d'être français? » par Eléonore Prieur, publié sur lefigaro.fr le 13/02/2014 Copyright obligatoire © Eléonore Prieur / lefigaro.fr / 13/02/2014.
Page 050, 123: Reproduced with the permission of FranceAntilles.fr.
Page 106, 132: © Cégep à distance (www.Cégep à distance.ca).

Pearson acknowledges use of the following extracts:
Page 016, 117: Goscinny, René, *Le Petit Nicolas* (London: Longman, 1967)
Page 036, 120: Rochefort, Christiane, *Les Petits Enfants du Siècle* (Paris: Éditions Bernard Grasset, 1961)

Photographs
(Key: b-bottom; c-centre; l-left; r-right; t-top)

123RF: Olena Zaskochenko 070, Cathy Yeulet 083, 128; **Alamy Stock Photo:** Novarc Images 097, 131; **Getty Images:** Franckreporter 024, 118, Hero Images 070, Jose Luis Pelaez Inc 070, Gabriela Medina 105t, 132t; **Pearson Education Ltd:** Jules Selmes 070, Jules Selmes 070, Sophie Bluy 070, Gareth Boden 070; **Shutterstock:** Dubassy 010, Dragon Images 040, Rawpixel.com 068, Tracy Whiteside 070, Monkey Business Images 105b, Dubassy 116, Dragon Images 121 Rawpixel.com 126, Monkey Business Images 132b

All other images © Pearson Education